# O GRANDE LIVRO DA MITOLOGIA EGÍPCIA

O GRANDE LIVRO DA

# MITOLOGIA EGÍPCIA

**CLAUDIO BLANC**

3ª Impressão 2022

**Presidente:** Paulo Roberto Houch
MTB 0083982/SP

**Edição:** Priscilla Sipans (redacao@editoraonline.com.br)
**Projeto Gráfico:** Rubens Martim (rm.martim@gmail.com)
**Imagens:** Shutterstock (exceto página 9 - Wikicommons/ Jeff Dahl).

**Vendas:** Tel.: (11) 3393-7727 (comercial2@editoraonline.com.br)

Foi feito o depósito legal.

**Dados Internacionais de Catalogação na Publicação (CIP)**
**(eDOC BRASIL, Belo Horizonte/MG)**

B638g

Blanc, Claudio.
O grande livro da mitologia egípcia / Claudio Blanc. – Barueri, SP: Camelot, 2021.
15,5 x 23 cm

ISBN 978-65-87817-31-6

1. Egito – Mitologia. 2. Civilização – História. I. Título.
CDD 909

**Elaborado por Maurício Amormino Júnior – CRB6/2422**

Direitos reservados ao
**IBC — Instituto Brasileiro de Cultura LTDA**
CNPJ 04.207.648/0001-94
Avenida Juruá, 762 — Alphaville Industrial
CEP. 06455-010 — Barueri/SP
www.editoraonline.com.br

# Sumário

# Apresentação

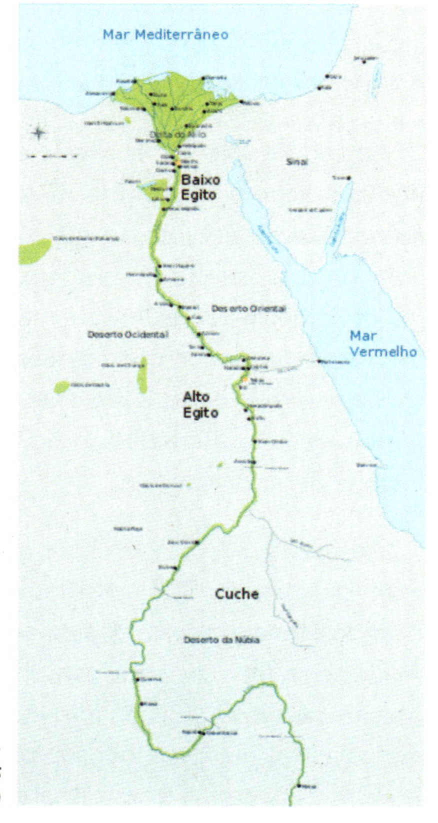


*Mapa do Antigo Egito, mostrando grandes cidades e sítios (c. 3100 – 30 a. C.)*

As primeiras civilizações surgiram na região da Mesopotâmia, desenvolvendo formas de governo, de legislação e a escrita e, então, entraram em decadência. Pouco depois de desaparecerem na Suméria, os primeiros sinais de civilização começam a irromper no Egito. Talvez essa civilização possa ter sido originada ou influenciada pelos sumérios. Não se sabe, mas

***Paisagem característica do Nilo.***

especula-se que isso seja provável. De qualquer forma, foi a natureza local, o cenário, que permitiu que essa civilização se desenvolvesse, prosperasse e persistisse por mais de três mil anos.

Cercado de desertos, a leste e oeste – surgidos na mudança climática que acontecera na Pré-História –, delimitado pelo Mediterrâneo, ao norte, e pela Núbia, ao sul, o Antigo Egito desenvolveu-se em uma área longa e estreita, às margens do rio Nilo. Era uma faixa de mais de mil quilômetros de extensão, mas que raramente excedia trinta quilômetros de largura, e que se dividia naturalmente em Alto e Baixo Egito. Enquanto o Baixo Egito, que corresponde à área do delta do Nilo, manteve seu território fixo, o limite sul do Alto Egito variou ao longo da história dessa civilização.

Apesar da secura do clima, especialmente no Baixo Egito, o Nilo ameniza essa condição. As inundações do rio fertilizam as margens, criando ótimas condições para a agricultura. Assim, aquela estreita faixa de terra foi suficiente para iniciar uma grande civilização. A lama, trazida das terras altas do interior e ali depositada, facilitou a produção agrícola. Nas margens lodosas, os primeiros egípcios puderam iniciar a lavoura. Suas terras transformaram-se, lentamente, num oásis comprido e isolado, cercado de desertos e montanhas. Era uma região de fácil manuseio. Os egípcios não precisaram executar trabalhos de recuperação de terras, e o Nilo era um rio manso. Embora transbordasse todos os anos, fazia-o de forma previsível. Suas inundações não eram desastres repentinos e destruidores. Ao contrário, eram bastante regulares, o que permitia estabelecer um padrão para o ano agrícola. O Nilo era um como um relógio, regulando os eternos ciclos que moviam a vida dos antigos egípcios.

A ocupação dessa área se deu a partir do sexto milênio a. C., recebendo levas de diferentes povos. A etnia dos egípcios resulta da mistura desses grupos humanos que, desde tempos pré-históricos, miscigenavam-se entre si.

Por volta de 3300 a. C., um número considerável de pessoas já vivia ao longo de uma faixa de cerca de quinhentos quilômetros no Baixo Nilo, em aldeias e povoados, próximos uns dos outros. As pessoas organizavam-se em clãs e as cidades demoraram a se desenvolver, provavelmente porque não havia ameaças de invasores. Por causa disso,

***O "Rio da Vida" garantiu a riqueza da civilização egípcia (pescadores no Nilo).***

os agricultores não precisavam refugiar-se em cidades para protegerem-se. Sabe-se que esses egípcios primitivos construíam barcos de junco, trabalhavam a pedra e usavam o cobre, transformando-o em utensílios para uso diário. Em meados do quarto milênio, começaram a manter contato com outras áreas, especialmente a Mesopotâmia. A partir de então, inicia-se o que viria a constituir, ao longo dos séculos, a civilização egípcia.

# A Civilização Egípcia

A civilização egípcia durou mais de três mil anos e teve cinco fases principais até desaparecer gradualmente sob o domínio romano, quando o cristianismo passou a ser a religião do Império. Os egípcios desenvolveram uma civilização bastante complexa, que funcionou com eficiência durante a maior parte de seus três mil anos de história.

*O deus Ptah, padroeiro da cidade de Mênfis e dos artesãos e arquitetos, sentado em seu trono, tendo o deus Sekhmet atrás (Templo de Ramsés II, Luxor, Egito).*

O povo egípcio se corporificou no Estado, estabelecido em Mênfis, capital do Antigo Reino. Mais tarde, no Novo Reino, a capital se estabeleceu em Tebas. As duas cidades foram grandes centros religiosos e tinham um complexo de palácios, em lugar de um centro urbano propriamente dito.

### O Faraó

A máquina do Estado consistia nas autoridades civis, eclesiásticas e militares. Contudo, a ideia que os egípcios tinham de Estado era diferente daquilo que hoje concebemos. Tinham menos o conceito de Estado e mais a ideia do que pertencia ao faraó e, até certo ponto, aos templos. O faraó, considerado uma divindade, a encarnação de Hórus, era uma figura-chave, o centro da vida egípcia. Ele era responsável pela continuidade entre o divino e o humano, o cósmico e o social. Durante a maior parte da história do Egito Antigo, todos os poderes sociais, até mesmo a autoridade sacerdotal, derivavam do faraó e eram por ele delegados.

Num estágio inicial, os monarcas egípcios já possuíam grande autoridade, como testemunham os primeiros monumentos dessa civilização. O aspecto divino do faraó originou-se nos "reis" pré-históricos, que tinham uma função diferente dos monarcas posteriores. Esses "reis"

*Máscara mortuária de Tutancâmon, Egito.*

***Representação do faraó Tutancâmon recebendo flores e papiros de Anquesenamon.***

eram homens santos, responsáveis pela saúde e prosperidade da terra e da comunidade que dela dependia. Acreditava-se que esses reis – e os ritos por eles presididos – garantiam a boa colheita, a ausência de pestes, a fertilidade das mulheres. Em diversas culturas pré-históricas, os reis representavam o Sol e tinham um séquito de doze assistentes, relacionados aos meses solares (os treze, o rei e o séquito, referiam-se aos meses lunares). Normalmente, o rei era sacrificado no solstício de inverno, e um dos membros do seu séquito o substituía.

No Egito essa crença subsistia, embora modificada, na figura do faraó. Era ele quem controlava as cheias anuais do Nilo – o que equivalia a controlar a vida das comunidades que dependiam do rio. Os primeiros rituais de responsabilidade do faraó relacionam-se à fertilidade, à irrigação e à recuperação da terra. As representações de Menés, o fundador do Egito, mostram-no cavando um canal.

No entanto, numa civilização que se estendeu por três mil anos, a ideia de natureza divina do rei teve diferentes sentidos. Os egípcios reconheciam os governantes excepcionais e tinham consciência de que outros eram muito fracos. Assim, a crença na natureza divina do faraó não interferia com a percepção do seu aspecto humano. No Antigo Reino, considerava-se que a monarquia e o próprio Egito tinham origem divina. O fa-

***A colossal cabeça do faraó Ramsés, no templo de Luxor, em Tebas, Egito.***

raó tornava-se uma das manifestações de Hórus, sem, no entanto, perder as características humanas. Acreditava-se que a justiça era o que o faraó amava, e o mal, aquilo que ele odiava. Ele possuía onisciência divina e, portanto, não precisava de um código de leis para guiá-lo.

No Médio Reino, o faraó perdeu, em certa medida, os poderes divinos da sua função e passou a representar a humanidade diante dos deuses. No entanto, no Novo Reino, o faraó passou a ser considerado fisicamente o filho de Hórus, ou Ré, que tinha assumido o aspecto do rei para gerar na rainha o faraó seguinte. Nessa época, passou a ser representado com a estatura heroica dos grandes guerreiros. Aparecem nos monumentos em seus carros de guerra esmagando os inimigos ou caçando feras. J.M. Roberts cita, em seu livro *A Short History of the World*, um registro deixado por um funcionário do faraó sobre a visão que os egípcios tinham do soberano nesse período: "Ele é um deus a quem devemos a vida, pai e mãe de todos os homens, único e sem igual".

Com a decadência do Egito e o declínio da monarquia, a origem divina do rei acabou sendo apenas uma doutrina para legitimar quem ocupasse o trono, mesmo que tivesse origem estrangeira, como, por exemplo, a dinastia ptolomaica, de origem macedônica.

## As Classes Sociais

O historiador grego Heródoto descreveu, em sua obra *História,* sete classes sociais no Egito: sacerdotes, militares, criadores de gado, criadores de porcos, mercadores, intérpretes e pilotos (de barcos). Entretanto, uma perspectiva mais precisa e moderna distingue quatro classes: uma classe superior, que incluía a família real, a nobreza, os altos funcionários, os grandes sacerdotes e os generais; uma classe média, com funcionários de nível intermediário, sacerdotes, comerciantes e fazendeiros; uma classe baixa, composta de artesãos e camponeses livres; e, por fim, os escravos.

Devido ao costume de os reis egípcios manterem várias esposas e grande número de concubinas, uma parte importante da nobreza era composta pelos descendentes e parentes do faraó.

Os sacerdotes eram o suporte do poder real. Eram, também, a polícia secreta e mantinham a ordem social. Ao controlar a crença do povo e beneficiar-se da dependência que o faraó tinha de seu apoio, os sacerdotes tornaram-se, com o passar do tempo, mais ricos e mais poderosos do que a aristocracia e, em certos momentos da história do Egito, do que a família real. Educavam os jovens, acumulavam e trans-

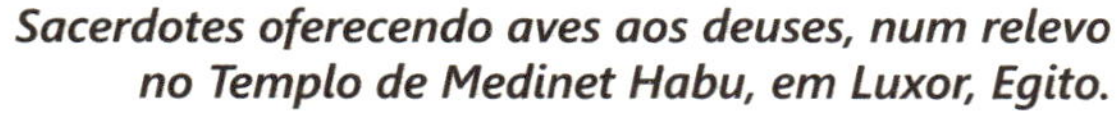

***Sacerdotes oferecendo aves aos deuses, num relevo no Templo de Medinet Habu, em Luxor, Egito.***

mitiam conhecimento e tradição e disciplinavam com zelo e rigor. O historiador grego Heródoto, citado por J.M. Roberts, descreveu-os em seu livro *História:* "Eles são, dentre todos os homens, os mais excessivamente atentos ao culto dos deuses e observam as seguintes cerimônias [...]. Usam roupa de linho constantemente lavadas [...]. São circuncidados para o bem da higiene, acham melhor serem limpos do que belos. Depilam o corpo inteiro a cada terceiro dia para que não se acumulem piolhos nem outras impurezas [...]. Lavam-se com água muito fria, duas vezes ao dia e duas vezes à noite". Os altos líderes religiosos conheciam os nomes dos deuses, os quais eram secretos, pois esse conhecimento permitia invocar o poder da divindade. O clero era mantido com recursos pagos pelos súditos.

Os tributos e impostos pagos aos templos permitiram que os religiosos chegassem a possuir um terço de todas as terras ao longo do Nilo.

Grande parte dos egípcios era constituída de camponeses que forneciam mão de obra para as grandes obras públicas e o excedente da sua produção agrícola, que sustentava as classes nobres, a burocracia e a grande estrutura religiosa. A terra era rica e as técnicas de cultivo melhoravam cada vez mais com aperfeiçoamentos na irrigação. Hortaliças, cevada e um tipo de trigo, o trigo emmer, eram as principais colheitas e se estendiam ao longo dos canais de irrigação. A dieta era suplementada com carne de

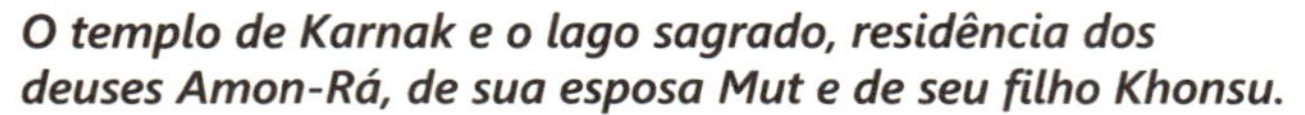

***O templo de Karnak e o lago sagrado, residência dos deuses Amon-Rá, de sua esposa Mut e de seu filho Khonsu.***

***Camponês com sua vaca, em um relevo no Templo de Luxor, em Tebas, Egito.***

aves domésticas, pesca e caça. O gado era usado, principalmente, para tração e aragem. O maior fardo dos camponeses era o serviço obrigatório nas obras coletivas. Quando não eram recrutados pelo faraó para realizar essas atividades, desfrutavam de considerável tempo de lazer.

Os camponeses eram, inicialmente, servos que trabalhavam nas propriedades do monarca ou dos grandes templos. Com a revolução que ocorreu no Primeiro Período Intermediário, as famílias camponesas recebiam terras para cultivar pagando um tributo que constituía numa parte da colheita. Os senhores dessas terras eram, porém, o faraó, um templo, um nomarca ou algum latifundiário. Além de trabalharem a terra, os camponeses eram recrutados para o serviço militar e para trabalhar em obras públicas. Os escravos eram, essencialmente, prisioneiros de guerra que o rei dava a seus soldados como recompensa pelo seu desempenho militar. Contudo, a escravidão não tinha grande importância para a economia egípcia. Os escravos gozavam de certa proteção legal e podiam ser libertados. Também não era incomum que os pobres se vendessem como escravos para garantir a alimentação e moradia da família.

## Alimentação

### Os Primeiros Pães

A base da alimentação egípcia era o pão. Na verdade, no Egito foram encontradas as evidências mais antigas sobre pães. Embora o pão fermentado deva provavelmente ter existido na Pré-História, os primeiros achados arqueológicos desse produto vêm do país dos faraós. Em diversas tumbas foram encontrados pães que eram ofertados aos mortos para que pudessem se alimentar em sua viagem ao Além, depois da morte física. Alguns desses pães foram preservados durante mais de cinco mil anos devido ao clima árido daquela região.

Esses pães "mumificados" permitiram que fossem realizadas observações feitas com microscópio eletrônico, que detectaram células de fermento na massa. Contudo, como os pães no Egito Antigo eram feitos com trigo emmer, essa farinha produzia uma casca dura, a qual prejudica o exame visual para determinar se todos os pães eram mesmo fermentados. Por isso, não se sabe ao certo o quanto o uso do fermento era difundido no Egito durante a Antiguidade – apesar da certeza de que era usado em maior ou menor grau.

No tempo dos faraós havia pães de vários formatos, inclusive representando animais. A farinha era feita moendo-se os grãos num pilão ou em moinhos de pedra. Era inevitável que pequenas pedras se misturassem à farinha durante o processo. Muitas múmias egípcias apresentam forte abrasão nos dentes como resultado de mastigar pão que continha areia e pedras dos moinhos e pilões.

*Pintura egípcia de oferenda de alimentos: carne, frutas, pão e vinho.*

**As Mulheres**

As mulheres egípcias tinham, em geral, mais independência e uma condição mais elevada do que os membros do seu gênero em outras civilizações. De fato, a liberdade das egípcias deixou os viajantes gregos, que confinavam suas mulheres, chocados. Os helenos ficaram admirados ao constatarem que as egípcias podiam exercer publicamente suas atividades sem serem molestadas ou perseguidas. Podiam dispor de seus bens e tinham seus direitos legais garantidos.

A arte egípcia representa as damas da corte vestidas em belos trajes de linho, cuidadosamente penteadas e adornadas de joias, usando cosméticos especiais, a cuja oferta os mercadores locais devotavam grande atenção. Outra evidência que atesta o relevo da mulher na sociedade egípcia são representações dos faraós e de suas rainhas – bem como de outros casais nobres –, retratados com uma correlação de sentimentos que sugere verdadeira igualdade emocional.

"Elas usavam todos os recursos cosméticos, chegando a pintar as unhas e os olhos; algumas cobriam de joias o colo, os braços e os tor-

***Pergaminho egípcio antigo.***

nozelos", escreve Will Durant em seu livro *Heróis da História – Uma Breve História da Civilização da Antiguidade ao Alvorecer da Era Moderna.* "Falavam de sexo de maneira direta, rivalizando-se com as mulheres mais livres dos dias de hoje; podiam tomar a iniciativa de cortejar, e o marido só podia pedir o divórcio se a mulher cometesse adultério comprovado, ou mediante uma liberal compensação."

As belas mulheres, como Nefertiti, esposa de Akhenaton, representadas em muitas pinturas e esculturas, refletem o poder conquistado pelo seu gênero, indicando influência política, inexistente em muitos outros lugares. Muitas vezes, o poder era transmitido pela linhagem feminina. Uma herdeira conferia ao marido o direito à sucessão, o que resultava em grande preocupação com o casamento das princesas. Muitos casamentos reais uniam irmão com irmã. Alguns faraós casaram-se com as próprias filhas, por vezes, mais para evitar que alguém se casasse com elas do que para preservar seu sangue divino. Algumas consortes exerceram poder e uma delas, Hatshepsut, fazia questão de comparecer nos rituais com a barba cerimonial postiça, envergando roupas masculinas e ostentando o título de faraó.

***Estátua da rainha Hatshepsut com a barda cerimonial usada pelo faraó.***

*Mulher entalhada na antiga necrópole egípcia dos nobres, em Tebas, Egito.*

Também há grande presença feminina no panteão egípcio, notadamente no culto a Ísis. A literatura e as artes pictóricas enfatizavam o respeito pela esposa e pela mãe. Algumas mulheres sabiam ler e escrever e há uma palavra egípcia para designar a mulher escriba, embora, de fato, não houvesse muitas ocupações fora do lar exercidas pela mulher, a não ser as de sacerdotisa ou prostituta.

## A Administração

À frente dos diferentes ministérios havia um vizir, intermediário entre o faraó e as repartições governamentais. A função do vizir começou logo no início da civilização egípcia, consolidando-se na sexta dinastia. O vizir atuava como magistrado, supervisionava as finanças, as obras públicas, os arquivos governamentais e a alfândega.

Depois da sexta dinastia, o poder do vizir passou a ser nominal, e sua autoridade só foi restaurada no Médio Império. Em certas épocas, houve dois vizires, um responsável pelo Alto Egito e outro pelo Baixo.

Sob a autoridade do vizir estava a administração das províncias, os *nomos*. Também era responsável pelos quatro grandes departamentos em que se dividia a administração do Império. O primeiro desses departamentos era o Tesouro, que recolhia os impostos e administrava a economia. O segundo era o da Agricultura, dividido em

***A famosa estátua "O Escriba Sentado", no Louvre, Paris: um dos mais importantes exemplos de arte egípcia.***

um setor dedicado à pecuária e outro à agricultura. O terceiro era o Arquivo Real, que mantinha os títulos de propriedade e os registros civis. O quarto departamento, o da Justiça, tinha como responsabilidade a aplicação das leis.

No Novo Império, o Egito possuía uma elaborada hierarquia de burocratas. Em geral, as pessoas mais importantes vinham da nobreza. Algumas delas foram sepultadas com uma pompa que rivalizava com a do faraó. Famílias menos eminentes forneciam milhares de escribas para o quadro de funcionários da máquina de governo. Esses escribas, que tinham papel de destaque na administração do Império, eram treinados em uma escola especial, em Tebas. Suas características principais podem ser conhecidas por meio de textos que elencam as aptidões necessárias para se ter sucesso como escriba: dedicação aos estudos, autocontrole, prudência, respeito aos superiores, atenção extrema à inviolabilidade dos pesos e medidas, propriedade de normas legais.

A importância do escriba, ou seja, sua relevância na administração do Império é retratada na famosa estátua de pedra, *O Escriba,* no Museu do Louvre. Sentado no chão à maneira oriental, vestindo apenas um saiote de tecido branco, tem um "estilo", uma caneta de junco atrás da orelha, como reserva para a que está usando. Os rolos de papiro que manuseia provavelmente registram relações de trabalhos executados e mercadorias pagas, preços e custos, lucros e perdas, impostos a receber e a pagar ou contratos e testamentos que ele redigiu. "Sua vida é monótona, mas ele valoriza seu papel, escrevendo ensaios sobre o sofrimento que o trabalhador manual enfrenta e sobre a dignidade do escriba, cujo alimento é o papel e o sangue, a tinta", escreve Will Durant.

O Império era dividido em províncias, ou nomos. Havia 20 nomos no Baixo Egito e 22 no Alto Egito. Sua administração era feita por nomarcas nomeados pelo faraó, mas que buscavam tornar-se senhores hereditários. Os escribas administravam o império sob supervisão do faraó, do clero e dos nomarcas. Assim organizado, o governo cobrou impostos, acumulou capital, criou um sistema de crédito, distribuiu recursos para a agricultura, a indústria e o comércio, e desenvolveu, até mesmo, um serviço postal.

A produção de bens era realizada por trabalhadores livres e escravos, sob as ordens dos nomarcas. As guerras forneciam milhares de prisioneiros que eram, em sua maioria, vendidos como escravos, cujo trabalho facilitou a exploração das minas e os triunfos da engenharia.

***Pintura egípcia na parede do Templo de Ramsés II, em Abidos, mostrando prisioneiros de guerra amarrados que serão vendidos como escravos.***

***Guerreiros antigos, em parede de templo.***

Os conflitos de classes eram comuns. Um papiro registra a reivindicação de alguns trabalhadores ao supervisor: "Fomos trazidos para cá pela fome e pela sede; não temos roupas, azeite nem comida. Escreve para o nosso amo, o faraó, e para o governador, que está acima de nós, para que eles nos deem algo para o nosso sustento". Não houve, porém, uma revolução de classes – a não ser que se considere o êxodo dos judeus como tal.

Segundo o historiador americano Will Durant, no Antigo Egito, as artes industriais eram tão avançadas e variadas quanto na Europa medieval. Os artesãos egípcios faziam armas e ferramentas de bronze, serras e instrumentos de perfuração capazes de atravessar pedras duras como o diorito. Eram mestres em esculpir a madeira. Construíam embarcações mercantes de até trezentos metros de comprimento e esquifes que são verdadeiros tesouros artísticos.

**O Exército**

No Antigo Reino e no início do Médio Reino, o Egito não dispunha de um exército permanente. Cada nomo tinha sua própria milícia, e as grandes propriedades dos templos, sua força policial. As forças egípcias contavam com uma marinha, que se limitava ao Nilo. Havia numerosas forças auxiliares, com núbios, líbios e berberes. Quando havia necessidade, faziam-se campanhas de recrutamento, e cada vila precisava contribuir com um contingente de determinado tamanho.

No Novo Reino o Exército era mais bem organizado e foi criado um corpo de carros puxados por dois cavalos, levando dois homens: um condutor e um soldado. No tempo de Ramsés II, o Exército passou a ser dividido em quatro corpos: Amon, Ré, Ptah e Set. Cada um deles tinha cinco mil homens, agrupados em vinte companhias subdivididas, por sua vez, em cinco grupos de cinquenta homens. As companhias eram lideradas por oficiais profissionais e os grupos, por militares de nível equivalente ao de sargento. Dois escribas administravam o Exército, sendo um responsável pela tropa e outro pelas provisões. Cada companhia tinha seu próprio escriba encarregado da organização.

**Grandes Construções**

Até cerca de 1800 a. C., a engenharia egípcia suplantou qualquer outra. Entre seus grandes feitos, construiu canais unindo o Nilo ao Mar Vermelho e transportou através de grandes distâncias pedras e obeliscos que pesavam milhares de toneladas, além das colossais Pirâmides de Gizé.

*A partir da esquerda, as pirâmides dos faraós Menkaure, Khafre e Khufu e as das três rainhas (menores), em Gizé, Egito.*

As casas e construções agrícolas eram feitas de adobe e não pretendiam desafiar a eternidade. No entanto, os palácios, túmulos e memoriais dos faraós eram outra questão – uma questão de afirmação da magnitude da civilização egípcia e de seu rei-deus.

Sob a direção de um escriba, milhares de escravos e, por vezes, regimentos de soldados eram destacados para cortar e colocar em posição, manualmente, enormes blocos de pedra adornados, muitas vezes entalhados e pintados de forma elaborada. Para tanto, usavam, primeiro, ferramentas de cobre e, depois, de bronze. Não dispunham de guindastes e roldanas, mas valiam-se de alavancas e plataformas móveis, além de enormes rampas de terra, pelas quais elevavam as pedras ao topo da construção. Dessa forma, os egípcios produziram monumentos que, ainda hoje, surpreendem e intrigam pelo tamanho e dificuldade técnica. Entre suas contribuições para a arquitetura estão, além da coluna, o arco, a abóbada, o capitel, a arquitrave e o frontão triangular.

Por causa da importância que se dava à construção de grandes monumentos, a exemplo de Imhotep, os arquitetos adquiriram enorme

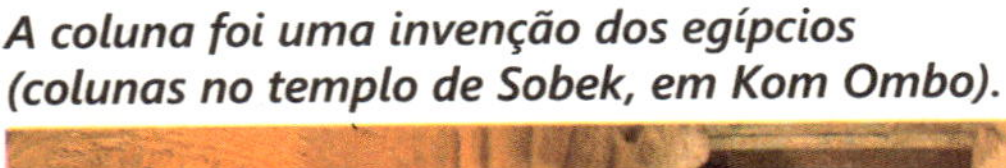

***A coluna foi uma invenção dos egípcios (colunas no templo de Sobek, em Kom Ombo).***

***Pirâmide de Meidum, em forma de Mastaba.***

prestígio. Mais do que riquezas e reconhecimento, os construtores amealharam conhecimentos técnicos e desenvolveram tecnologias que os tornaram lendários em uma época em que ciência significava magia. De fato, as construções promovidas pelo clero e pelos reis e executadas pelos construtores resultou, especialmente com o desenvolvimento da escrita, em um acúmulo de cultura que, segundo J.M. Roberts, "se tornou mais e mais efetivamente um instrumento para mudar o mundo".

Os mais famosos entre os monumentos egípcios são as pirâmides, que dominam o grande complexo de construções destinadas a abrigar o rei depois de sua morte. Entre as pirâmides da terceira dinastia, em Saqqara, perto de Mênfis, destaca-se a Pirâmide de Degraus, obra-prima do primeiro arquiteto conhecido, Imhotep, vizir do faraó, a quem se atribui o início da construção em pedra e que mais tarde seria deificado como deus da medicina e reverenciado como astrônomo, sacerdote e sábio. A construção de algo sem precedentes como essa pirâmide, de pouco mais de sessenta metros de altura foi, certamente, um acontecimento visto como prova de poder divino.

O excedente de riqueza possibilitou que uma sucessão de reis erigisse cerca de 118 pirâmides. Como o terreno ao longo do Nilo era margeado só por escarpas e pequenas montanhas no sopé de outras maiores, as pirâmides atingiram um domínio que seria impossível numa paisagem montanhosa.

As primeiras pirâmides do Egito eram formadas por degraus, que nada mais eram que "mastabas" empilhadas. Essas mastabas, cujo nome deriva do árabe *maabba* (banco de pedra), eram túmulos em forma de uma base de pirâmide construídos desde a primeira era dinástica.

A primeira pirâmide foi construída por volta de 2700 a. C. e as maiores pirâmides foram construídas em Gizé, durante a quarta dinastia. A pirâmide de Quéops, também chamada de Grande Pirâmide, demorou vinte anos para ser concluída, empregando entre cinco e seis milhões de toneladas de pedras que foram levadas até o local de uma distância de até oitocentos quilômetros. Projetada para ter 146 metros de altura, equivalente a um prédio de cinquenta andares, exigiu o emprego de aproximadamente cem mil trabalhadores, incluindo escravos e agricultores arregimentados quando as enchentes estavam no ápice, impedindo-os de trabalhar a terra. Essa construção colossal está perfeitamente orientada, e os seus lados, de cerca de 230 metros de comprimento, variam menos de doze centímetros. Foi a estrutura mais impressionante até então construída no mundo – especialmente por ter sido realizada num reino onde a população não chegava a um milhão de habitantes.

No entanto, apesar do tamanho colossal e do esforço emp)reendido na sua construção, as pirâmides não representavam grande avanço em

***A Esfinge e a pirâmide de Quéfren.***

*Templo de Kom Ombo.*

termos de elaboração arquitetônica. As pirâmides não foram, porém, os únicos grandes monumentos erguidos pelos antigos egípcios. Em outros locais, havia grandes templos, palácios, além dos túmulos do Vale dos Reis. Perto da pirâmide do faraó Quéfren (c. 2550 a. C.) encontra-se um dos monumentos mais intrigantes da História: a esfinge. Aparentemente por ordem desse governante, seus artistas e artesãos entalharam uma figura imponente, símbolo de seu poder, com o corpo de leão e a cabeça do próprio Quéfren. O rosto é sombrio, como que para atemorizar os possíveis saqueadores do túmulo real.

### Ciência

As monumentais obras realizadas pelos antigos egípcios levaram esse povo a ser considerado possuidor de grandes cientistas, uma vez que essas construções exigiriam o mais refinado conhecimento matemático e científico. Contudo, embora a agrimensura egípcia fosse altamente capacitada e os funcionários públicos do Império fossem perfeitos engenheiros civis, a matemática elementar era suficiente para erguer os monumentos que eles construíram. Bastava competência na mensuração e conhecimentos de algumas poucas fórmulas para calcular volume e peso. "Os egípcios não rivalizavam com os babilônios nas ciências", escreve J.M. Roberts. Sua "única realização consciente foi o calendário", afirma o autor.

Outros autores discordam, apontando avanços em outras áreas. "Na medicina, os egípcios, provavelmente, lideraram o mundo de então", escreve Geoffrey Blainey, autor de *Uma Breve História do Mundo.* A mágica e o conhecimento prático da medicina e de drogas mesclavam--se. Boa parte do conhecimento do corpo humano vinha da prática da mumificação, quando se manuseava o cadáver e seus órgãos internos. Os egípcios desenvolveram métodos eficientes em ortopedia, cirurgia, farmácia e, possivelmente, foram os primeiros a usar ataduras e talas. Há evidências de que as trepanações que realizavam para aliviar a pressão craniana resultante de traumas foram bem-sucedidas. "Em suas curas, usavam gordura de criaturas como ratos e cobras, ervas e vegetais, pesando e medindo cada ingrediente cuidadosamente", atesta Blainey. Segundo Homero, em *A Odisseia,* os médicos egípcios eram os melhores de seu tempo.

### O Calendário Egípcio

Uma grande contribuição dos egípcios foi a introdução do seu calendário. O desenvolvimento do calendário veio da necessidade que as primeiras civilizações tinham de medir períodos por causa da agricultu-

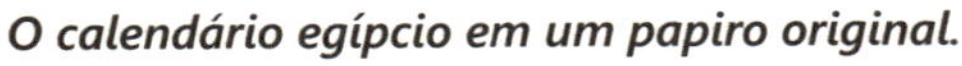

***O calendário egípcio em um papiro original.***

ra, da religião, dos negócios ou para determinar sua cronologia. O primeiro calendário a satisfazer essas necessidades foi o egípcio, que mais tarde foi aperfeiçoado pelos romanos no calendário juliano, usado na Europa por mais de 1500 anos.

Os antigos egípcios usavam um calendário lunar e o sincronizavam com um calendário sideral. Para isso, observavam a aparição sazonal da estrela Sirius, que eles chamavam de Sótis. Esse ciclo corresponde ao ano solar, sendo apenas doze minutos mais curto. Para sincronizar os dois calendários, os egípcios adotaram um ano civil de 360 dias dividido em três estações com quatro meses de 30 dias e intercalavam cinco dias ao longo desse ano. Esse calendário civil servia para propósitos administrativos e governamentais, enquanto o calendário lunar continuava a regular os assuntos do cotidiano e da religião. Mas por causa da discrepância entre esses calendários, que a cada quatro anos perdiam a sincronia em um dia, os egípcios estabeleceram um segundo calendário lunar baseado no ano civil, em vez da observação da estrela Sótis, com a intercalação de um mês toda vez que o primeiro dia do ano lunar caía antes do primeiro dia do ano civil. Esse calendário era usado para determinar os festivais religiosos. O outro calendário lunar foi mantido e aplicado à agricultura. Assim, os egípcios passaram a usar três calendários diferentes, cada qual com um propósito específico. A única unidade maior do que o ano era o reinado de um faraó. Como os babilônicos, os egípcios também usavam anos régios para denominar um período, estipulando sua cronologia como "ano um, dois, etc..., do Faraó Neco II", por exemplo. A cada novo regente, a conta voltava ao ano um.

O ano civil era dividido em três estações: Inundação, quando o rio Nilo transbordava sobre as terras agrícolas; Saída, quando o Nilo voltava ao seu leito e o plantio tinha início; e Deficiência, época de águas baixas e da colheita. Os meses eram numerados conforme a estação à qual pertenciam, "segundo mês da Inundação", por exemplo. O dia era contado a partir do nascer do sol e era dividido em horas desiguais que variavam conforme a época do ano. Usavam clepsidras (relógios de água) e relógios de sol para marcá-las.

## Uma Civilização Excepcional

Apesar dos feitos colossais e da longa duração do império egípcio, essa civilização não desenvolveu os impressionantes recursos criados nos primeiros tempos. Os egípcios foram capazes de reunir recursos colossais de mão de obra e material, sob direção de funcionários civis, mas apenas para construir os maiores túmulos que a História já registrou. Do mesmo modo, sua arte refinada era usada quase exclusivamente para adornar monumentos. Sua elite, altamente instruída, usando uma escrita complexa e tendo no papiro um material barato de grande poder de difusão de informação, do qual serviu-se para registrar textos burocráticos e inscrições, não legou para a humanidade nenhuma grande ideia filosófica. Até mesmo os poderes militar e econômico do Egito pouco influíram no mundo de modo permanente; tampouco sua civilização se expandiu para o exterior. Ao contrário dos gregos – que deixaram suas marcas, instituindo um legado cultural que se tornou a raiz da civilização ocidental –, os egípcios não influenciaram tanto outros povos, ou constituíram herança que se tornasse base de outra civilização.

Apesar disso, a capacidade de permanência da civilização egípcia é assombrosa – provavelmente o maior feito desse povo. Existiu por um longo período, sofrendo duas fases de eclipse, das quais recuperou-se. Essa longa permanência representa grande sucesso – um sucesso que poucas civilizações conquistaram.

***A Esfinge e a pirâmide: eternos símbolos do Egito.***

# As Dinastias

### Período Protodinástico

Depois que os povos que viriam constituir os egípcios se estabeleceram ao longo do Nilo, fundaram colônias que lutavam umas contra as outras. Com o passar do tempo, formaram dois reinos, o do Norte e o do Sul. Nesse período, estabeleceu-se toda a base da cultura egípcia – a religião, os ritos funerários e a escrita, que iria se desenvolver gradualmente nos hieróglifos.

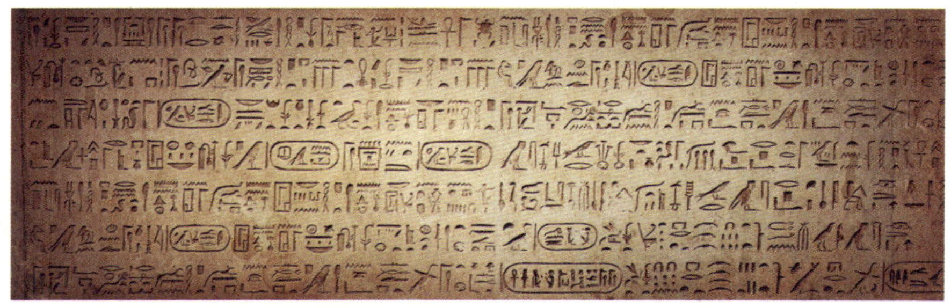

***Hieróglifos egípcios antigos como símbolos da história da Terra.***

***Aldeia egípcia no oásis de Siwa.***

De fato, há mais informações a respeito da civilização egípcia primitiva do que qualquer outra em data tão remota. Desde os primeiros tempos, os egípcios tiveram uma forma de escrita pictográfica, isto é, que utilizava desenhos de objetos, animais etc., para representar uma ideia. Com o tempo, esses pictogramas passaram a representar sons e desenvolveram os hieróglifos. Como era difícil de escrever, a escrita hieroglífica não se espalhou além do Egito, embora seu uso tenha sido prolongado. O último exemplo conhecido dessa escrita data de do século V d. C. A partir daí, perdeu-se seu domínio até sua chave ser decifrada, no início do século XIX, com a descoberta da famosa Pedra de Roseta. Essa estela é escrita em grego demótico (um idioma egípcio que surgiu tardiamente) e com hieróglifos, o que possibilitou sua tradução, abrindo caminho para o conhecimento do Antigo Egito, por conta do grande número de inscrições em túmulos, monumentos e papiros que sobreviveram até o nosso tempo.

Alguns dos últimos reis do período pré-dinástico deixaram monumentos. O mais famoso deles, embora pouco se saiba a seu respeito, foi o rei Escorpião, faraó que promoveu guerras e abriu caminho para a unificação dos dois reinos.

**O Antigo Reino (2700 a 2200 a. C.)**

De acordo com as primeiras narrativas registradas em hieróglifos, por volta de 3000 a. C., o Egito já era dividido em dois impérios: o Baixo e o Alto Egito. Os relatos falam de um rei do sul chamado Menés que conquistou o norte e estabeleceu sua dinastia. Essa primeira dinastia egípcia ficou conhecida como "tinita", por conta de seus membros terem vindo da vila de Tis.

Segundo a tradição, Menés, o fundador da cidade de Mênfis, reinou no Egito unificado entre 3150 – 3125 a. C. O território sob seu controle estendia-se por aproximadamente mil quilômetros ao longo do Nilo. Não se sabe ao certo o que significava esse governo, mas, conforme observou em seu livro *A Short History of the World* o historiador britânico J.M. Roberts, "o simples fato [de Menés] ter estabelecido o direito de governar uma área tão grande foi uma conquista impressionante". Menés deu origem a um período de cerca de dois mil anos, ao longo do qual o Egito esteve, em geral, sob um único governante, um mesmo sistema religioso e um padrão de governo e sociedade, sem a intromissão de influência exterior. Apesar de ter havido altos e baixos nesse período, essa continuidade é surpreendente. Foi ela que possibilitou grandes realizações, cujos vestígios ainda fascinam e excitam nossa imaginação.

***A coroa do Império: a deshret vermelha, do Baixo Egito, unida à hedjet branca, do Alto Egito.***

Uma contribuição importante ocorrida durante a primeira dinastia foi a invenção de folhas de papel feitas de papiro, o que permitiu preservar grande parte da produção artística e cultural do Egito. O papiro crescia nos brejos do Nilo. Em cerca de 2700 a. C., os egípcios transformaram o papiro em um tipo de papel espesso, semelhante ao pergaminho, pronto para receber as marcas da caneta, ou "estilo", de junco. Feitas com feixes de papiro sobrepostos, dispostos entrecruzados e amassados até formarem uma folha homogênea, essa invenção possibilitou grande avanço para a humanidade, pois permitia multiplicar o registro de informações. De fato, o papel fez mais pela comunicação do que os hieróglifos. O papiro era mais barato do que a pele da qual os pergaminhos eram feitos e mais fáceis de inscrever, manipular e armazenar do que as tabuletas de argila e as placas de pedra. Pouco depois do surgimento do papiro, os escribas começaram a colar folhas umas nas outras de modo a formar um longo rolo. Dessa forma, os egípcios inventaram tanto o livro quanto o material no qual o primeiro deles seria escrito. Grande parte do que se sabe sobre a o Antigo Egito chegou até nós por meio do papiro.

Os reis tinitas, descendentes de Menés, sobre os quais sabe-se pouco, fundaram, ainda, a segunda dinastia egípcia. Os tinitas buscaram consolidar a união do país e defender suas fronteiras.

A partir dessa época, o rei passa a ser visto como uma encarnação de Hórus, o deus falcão, e protegido por duas deusas: Nekbet, do Alto

***Folha de papel feita de papiro.***

***A mastaba M17, em Meidum, Egito.***

Egito, encarnada em um corvo, e Buto, do Baixo Egito, que assumia a forma de uma cobra. O símbolo maior do rei era a coroa dupla: a branca, do Alto Egito, e a vermelha, do Baixo Egito.

As dinastias tinitas também implantaram o tipo de organização civil, militar e sacerdotal características da civilização egípcia. O rei era aconselhado por um vizir e pelos administradores das regiões do Império, os quais supervisionavam o recolhimento de impostos, a construção de obras de irrigação e de túmulos, e as mastabas, que vão originar as futuras pirâmides. O Exército era formado por soldados fornecidos pelas vilas, sob o comando supremo do rei e sob as ordens dos chefes das fortalezas. A classe sacerdotal também começara a se estabelecer sob Menés, com diferentes grupos de sacerdotes, como os zematis, presidindo diversos cultos.

Foi sob os reis da segunda dinastia tinita que as primeiras *mastabas,* os monumentos funerários que precederam as pirâmides, foram construídas.

A terceira dinastia tem sua figura central no rei Djoser (c. 2700 a. C.), famoso pela sabedoria e por seu bom governo. Seu vizir, o arquiteto Imhotep, construiu a primeira pirâmide de pedra, em Saqqara. Um importante desenvolvimento se deu sob os reis dessa dinastia. No segundo milênio antes de Cristo, o conhecimento acumulado pelos navegantes e construtores navais sobre regimes de vento e correntes marítimas já era utilizado e, em cerca de 2650 a. C., os egípcios da terceira dinastia usaram, pela primeira vez, a vela quadrada, feita provavelmente de couro, nos navios em alto-mar.

***A Pirâmide de Quéfen, em Gizé, Egito.***

A quarta dinastia marca o período clássico do Antigo Reino. Nesse período, o poder foi centralizado nas mãos do faraó. É nessa época que viveram os grandes construtores de pirâmides: Kufu (Quéops), Quéfren e Menkaure (Micerinos). A construção desses monumentos colossais, que exigiu a mobilização de imensa mão de obra, comprometeu as atividades produtivas, e o país empobreceu.

A quinta dinastia (2500 – 2350 a. C.) continuou a construir pirâmides, embora em menor escala. As relações com os vizinhos foi estimulada, e expedições militares e comerciais foram enviadas à Síria e à Núbia. É dessa época a mais antiga narrativa sobre uma travessia marítima. Ordenada pelo faraó Sneferu, soberano do Egito de aproximadamente 2575 a 2551 a. C., a frota de 40 navios navegou até o porto de Biblos, cidade portuária fenícia de Gebal, e voltou carregada de madeiras nobres. No entanto, Sneferu não se tornou célebre por estimular as viagens por mar, pois seus súditos não eram marinheiros entusiasmados, e sim pela pirâmide que construiu. Os egípcios preocupavam-se mais com a preparação para a vida após a morte do que em tirar vantagem da sua situação geográfica, propícia para o desenvolvimento da navegação. A falta de madeira adequada para a construção de navios naquele país pode ter sido um fator a retrair o progresso das artes náuticas. Além disso, era mais fácil percorrer o rio Nilo do que navegar a costa egípcia. Seriam necessários quase mil anos para que o faraó Sesóstris despertasse o interesse dos egípcios em explorar o mar.

No final da quinta dinastia, começou uma tendência que se consolidou na sexta dinastia (2350 – 2200 a. C.), na qual o poder foi passando lentamente para os governadores das províncias, os nomarcas.

**Primeiro Período Intermediário (2200 – 2050 a. C.)**

O Primeiro Período Intermediário assistiu a uma inversão da tendência anterior. Desse modo, o Egito foi invadido, e povos de origem asiática se estabeleceram por algum tempo no vale inferior do Nilo.

Não se sabe quase nada sobre a sétima e a oitava dinastias, já que os nomos eram completamente autônomos.

O fundador da nona dinastia, Keti I, fez a cultura voltar a florescer e estabeleceu um centro de poder centrado em Herakleópolis, cidade onde reinava. Outros centros de poder local formaram-se, tendo Tebas à frente. Logo, uma disputa começou pelo domínio do Egito. Foi só a 12ª dinastia que restabeleceu o controle sobre o Alto e o Baixo Egito, sob Amenemhet I, um membro de uma família de altos funcionários dos reis tebanos.

**O Reino Médio (2050 – 1800 a. C.)**

O Reino Médio, também chamado de Médio Império, foi inaugurado por um poderoso rei que reunificou o reino, Amenemhet I, a partir de sua capital, em Tebas.

Embora os nomos continuassem a ter grande independência, o Egito aumentou sua

*Selo egípcio de 1993 com efígie do faraó Amenemhet III.*

esfera de poder sob a 12ª dinastia. Os faraós dessa dinastia adotaram políticas de expansão agressivas. Seus navios coalhavam o porto de Biblos, em Gebal (hoje, Líbano), onde faziam ativo comércio. O mar também os levava a Creta e ao Mar Vermelho, para onde expandiam sua influência. A Palestina era controlada pelo Egito, que enviava expedições militares à Líbia e à Núbia.

Durante quase 250 anos, o Egito passou por um período de recuperação, sobretudo em termos da ordem e da coesão social. Houve, igualmente, desenvolvimento material. Grandes obras de recuperação foram realizadas nos pântanos do Nilo. Ao sul, os faraós da 12ª dinastia conquistaram a Núbia, expandindo seu território. Nesse período, a condição divina do faraó mudou sutilmente. Ele não era apenas um deus, mas um descendente dos deuses.

Contudo, apesar de os descendentes de Amenemhet I terem garantido mais de dois séculos de prosperidade ao Egito, sob a 13ª

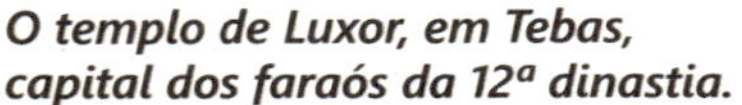

***O templo de Luxor, em Tebas, capital dos faraós da 12ª dinastia.***

dinastia, embora também tebana, voltou a surgir o divisionismo, e o Médio Império terminou em meio a perturbações políticas e competições dinásticas.

**Segundo Período Intermediário (1800 – 1550 a. C.)**

Durante a 14ª dinastia, os reis eram eleitos por curtos períodos e o poder não era hereditário, mas controlado pelos vizires. O Segundo Período Intermediário, que durou aproximadamente duzentos anos, foi marcado por outra incursão de estrangeiros, os hicsos. A partir de 1730 a. C., os hicsos, um povo semita que começou a ocupar a região oriental do delta do Nilo desde a 12ª dinastia, assumiu gradualmente o poder. Os hicsos, ou "reis pastores", dispunham de melhor tecnologia militar: carro com cavalos, arcos compostos, armas de bronze e avançadas técnicas de construção de fortificações. Os hicsos completaram a conquista do Egito em 1675 a. C. e, no ano seguinte, fundaram a 15ª dinastia.

Aparentemente, os invasores adotaram as convenções e os métodos egípcios, chegando a manter, num primeiro momento, os burocratas existentes.

Um dos governantes desse período, Sesóstris IV, que viveu por volta de 1650 a. C., foi o primeiro faraó que se esforçou para superar o desinteresse dos egípcios pelo mar. Ele enviou expedições em viagens de comércio e também de exploração, a fim de conceber um conceito geográfico do seu território. Não se sabe, porém, qual foi a extensão das suas descobertas. Sesóstris percebia a necessidade de constituir uma sólida marinha e criou entre seus súditos a classe dos marinheiros, o que estimulou uma maior proximidade entre o mar e os egípcios, oceanófobos por tradição.

Historiadores da Antiguidade, como o grego Heródoto (484-424 a. C.), tido como o Pai da História, afirmam que Sesóstris ordenou a fundação de uma colônia egípcia num lugar chamado Fasis, onde construíam-se navios, desenhavam-se mapas e desenvolviam-se as ciências náuticas. Durante o reino de Sesóstris, os egípcios chegaram a dominar

*Carro de guerra egípcio.*

o comércio no Mar Vermelho e a fundar colônias e entrepostos na Grécia. Mas Sesóstris governou num período em que seu país enfrentava uma série de distúrbios e, com sua morte, os egípcios voltaram ao seu natural desinteresse pelo mar. As colônias no exterior perderam contato com a metrópole e, como antes do faraó, o comércio voltou a ser dominado por estrangeiros.

### A Guerra de Libertação

Os hicsos fundaram, ainda, a 16ª dinastia. Sob seu domínio, por volta de 1650 a. C., emergiu uma nova dinastia tebana independente – a 17ª –, que viria a entronar quinze faraós. Os monarcas tebanos mantinham boas relações com os hicsos, mas Taá I (acredita-se que reinou apenas um ano, entre 1550 e 1549 a. C.) iniciou o conflito com os hicsos, o qual, depois de sua morte, foi continuado por seus sucessores. Ahmosis, um descendente de Taá, fundou a 18ª dinastia por volta de 1570 a. C. e completou a expulsão do hicsos, que tinham se refugiado na Palestina. O reinado do filho de Ahmosis, Amenhotep I (reinou entre cerca de 1526 e 1506 a. C.), marca o princípio da formação do novo império egípcio.

## O Novo Império

O período conhecido como Novo Império foi, no seu apogeu, muito bem-sucedido em termos de influência internacional e deixou elaborados monumentos como testemunho do desenvolvimento dessa época. Durante a 18ª dinastia, houve um renascimento das artes, uma transformação das técnicas militares por conta da adoção de táticas e equipamentos de povos do Oriente Médio e Ásia, como o carro de guerra. Isso tudo foi possível por causa da forte consolidação da autoridade real.

Monumentos registrando a chegada de tributos e escravos, bem como casamentos com princesas asiáticas testemunham a soberania egípcia.

O reinado de Amenhotep I durou cerca de vinte anos. Sem filhos, deixou o trono do Egito para sua irmã, Ahmosis. Contudo, de acordo com o costume egípcio, foi seu esposo, Tutemósis I, que se tornou faraó. Ele precisou suprimir uma rebelião dos núbios e promoveu uma

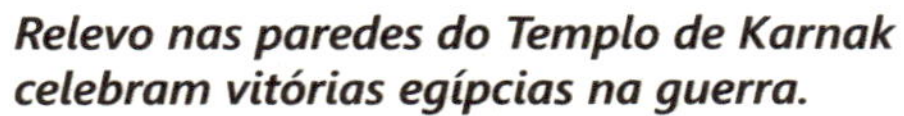

***Relevo nas paredes do Templo de Karnak celebram vitórias egípcias na guerra.***

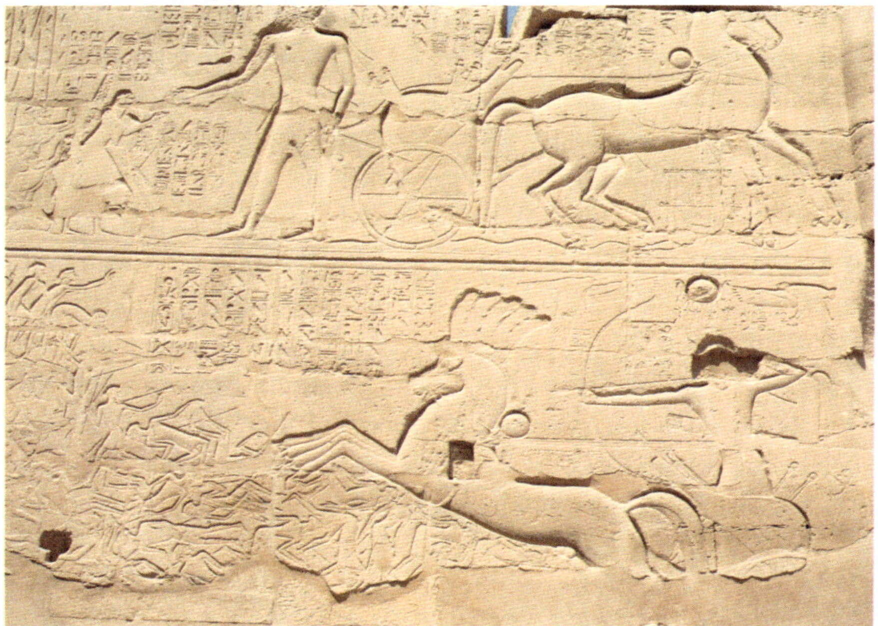

*Templo de Hatshepsut, próximo a Luxor.*

campanha na Síria, chegando até o Alto Eufrates. Sob sua regência, o império egípcio atingiu o máximo de sua expansão. Apenas uma filha de Tutemósis I e Ahmosis sobreviveu, a princesa Hatshepsut. Quando o faraó morreu, passou o trono ao filho mais velho do faraó com outra princesa, Tutemósis II. Para garantir a legitimidade da sucessão, o novo faraó casou-se com sua meia-irmã Hatshepsut. Apesar de ter saúde frágil, o reinado de Tutemósis II foi um período positivo para o Egito. Coroado aos vinte anos, precisou arregimentar e enviar um exército poderoso contra os núbios, que matou todos os homens daquela nação. Como Tutemósis II e Hatshepsut não tiveram um filho homem, o faraó nomeou seu filho com uma esposa secundária, Tutemósis III, para substituí-lo. No entanto, quando Tutemósis II morreu, em cerca de 1490 a. C., Tutemósis III era muito jovem para reger, e Hatshepsut assumiu o trono até que o herdeiro tivesse idade suficiente para encabeçar o Império. Hatshepsut foi a primeira rainha a governar o Egito. No entanto, quando Tutemósis III chegou à maioridade, em 1486 a. C., Hatshepsut assumiu o poder real, com o apoio do seu conselheiro, arquiteto e provável amante, Senemut, reinando até 1468 a. C.

### A Primeira Faradisa

O reino de Hatshepsut (cerca de 1503 a 1480 a. C.) contrastou com a tendência guerreira da dinastia anterior à sua, pois ela se devotou ao fortalecimento do comércio, a restaurar antigos monumentos e a construir outros. Empreendedora, nos seus vinte e três anos de governo, deixou mais obras do que qualquer outra rainha egípcia que a sucedeu. Como primeira mulher a sentar no trono de Hórus, o deus falcão que o faraó encarnava, teve muitos obstáculos a vencer e usou toda a sua habilidade política para isso. Nas aparições públicas e representações artísticas, ela era caracterizada como rei, com barba falsa e vestindo o *kapersh,* um elmo de uso exclusivo dos faraós no campo de batalha. Uma das suas manobras para legitimar o direito ao trono foi a construção do templo de Deir el-Bahari, ou "convento do norte", em Tebas, um dos grandes legados do Egito Antigo. Projetado por Senemute, que além de arquiteto inovador, era amante da rainha, o templo consagrado aos deuses Amon e Hator registra o acontecimento mais notável do reinado de Hatshepsut. Decorando uma importante ala do Deir el-Bahari há uma série de relevos que descrevem detalhadamente a expedição que Hatshepsut enviou à Terra de Punte.

### A Expedição à Terra de Punte

Os baixos-relevos contam que o próprio Amon, o principal deus de Tebas, inspirou a rainha a ordenar a jornada a Punte, na atual Somália, uma região rica em gomas, resinas, madeiras aromáticas, âmbar, ouro, lápis-lazúli e marfim. Esses produtos eram comercializados no Egito, na Mesopotâmia, na Síria e na Ásia Menor exclusivamente pelos árabes. O deus Amon, segundo sua protegida, pretendia

***Relevo no Templo de Deir el-Bahari.***

acabar com a dependência que seus sacerdotes tinham desses mercadores para obter os óleos e o incenso necessários para a execução dos seus elaborados rituais. Por isso, deu ordens a Hatshepsut para empreender a expedição. A rainha, por sua vez, ordenou a construção de cinco navios, os maiores já feitos no Egito até então. Mediam cerca de 70 pés e tinham a popa e a proa bem altas, com balaustradas que serviam como observatório e onde devia existir algum tipo de abrigo para os oficiais. Os barcos não tinham convés e havia apenas um mastro, de tronco maciço de palmeira, com mais ou menos nove metros de altura. A tripulação consistia de trinta remadores, quinze de cada lado, quatro marinheiros, dois timoneiros, um imediato e um capitão. Um destacamento militar também acompanhava a expedição, era a guarda de honra do embaixador de Hatshepsut. No total, presume-se que cerca de 210 pessoas tenham participado da expedição nos cinco navios.

Infelizmente, muitas das inscrições e pinturas do templo estão mutiladas, quebrando a continuidade da narração. Mesmo assim, o conjunto conta detalhes minuciosos e permite fazer uma ideia bastante clara daquela viagem.

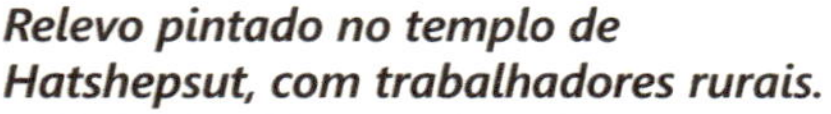

***Relevo pintado no templo de Hatshepsut, com trabalhadores rurais.***

***Guerreiros que acompanharam a expedição a Punte (decoração do templo de Hatshepsut).***

Supõe-se que a expedição tenha zarpado de Tebas e alcançado o Mar Vermelho por algum antigo curso fluvial que ligava o rio ao mar. Se essa passagem realmente existiu, ela desapareceu nos séculos seguintes, pois outros faraós se esforçaram para cavar um canal que ligasse o Nilo ao Mar Vermelho. Os relevos não fazem referências à viagem por mar e a narração prossegue com a chegada da flotilha a Punte, onde foi recebida pelo príncipe do lugar, chamado Parihu, e por sua esposa. Ati, a princesa, é representada gordíssima, quase disforme. Tanto que alguns estudiosos levantaram a possibilidade de ela ter sofrido de elefantíase. Contudo, é mais provável que esse peso todo fosse apenas o padrão de beleza imposto às mulheres de certas partes da África, onde o ideal era que as beldades, engordadas à base de cerveja de banana, chegassem a ser tão obesas que mal pudessem andar.

Depois de aportar, o embaixador de Hatshepsut presenteou Parihu regiamente e recebeu em troca as preciosas mercadorias de Punte, que incluíam, entre outras curiosas raridades, um elefante e uma girafa. Então, o embaixador egípcio ofereceu uma recepção a Parihu, Ati e à sua corte. Uma inscrição abaixo dessa representação, no mural do templo de Deir el-Bahari, informa o menu do banquete: "pão, cerveja, vinhos, carne, vegetais e todas as boas coisas do Egito, por ordem e vontade de Sua Majestade, nossa Vida, Saúde e Força".

As paredes do templo de Amon e Hator nada contam sobre a viagem de retorno, mas atestam a chegada dos navios a Tebas carregados de tesouros. A representação é tão fiel, que modernos ictiologistas foram capazes de identificar espécimes de peixes da Somália entre a fauna trazida de Punte. Os desenhos descrevem a enorme procissão de boas-vindas que acompanhou os exploradores, escoltados por um destacamento da elite do Exército, pelas ruas de Tebas até o Deir el-Bahari, onde a rainha os aguardava. As pinturas concluem sua história dizendo que Hatshepsut recebeu os viajantes em triunfo, na presença da própria Hator, a deusa regente da Terra de Punte.

Além desses fragmentos de memória ecoando nos corredores vazios do Deir el-Bahari, não se sabe muita coisa. Faltam informações que expliquem se a expedição estabeleceu uma rota de comércio regular com Punte, ou se foi uma manobra política da astuta Hatshepsut, uma gloriosa aventura que inflasse o ego e conquistasse a confiança dos seus súditos.

*Detalhe da estátua de Hatshepsut ostentando a barba postiça dos faraós, no seu templo, em Deir el-Bahari.*

Em 1468 a. C., quando Tutemósis III tinha cerca de trinta anos, ele conseguiu derrubar os usurpadores do poder. Em mais ou menos 1480 a. C., o nome da rainha desapareceu dos monumentos. Pode ser que tenha simplesmente renunciado em favor de Tutemósis III, algo pouco provável. Ao que tudo indica, pelo esforço vingativo do seu sucessor em apagar o nome de Hatshepsut de todos os registros públicos e estátuas, ela ficou no trono até o fim. Tutemósis III não poupou nem sua múmia, que parece ter sido destruída. Em 1881, os restos de Tutemósis I, II e III, foram descobertos na tumba dos Reis-Sacerdotes, perto do Deir el-Bahari. No mausoléu, nada se encontrou de Hatshepsut, exceto um armarinho de madeira revestido com marfim, com o nome da rainha gravado. No seu interior havia um fígado humano dissecado. É possível que o órgão tenha pertencido à própria Hatshepsut.

Mas, apesar da aparente crueldade, a ponto, talvez, de destruir a múmia da antecessora, negando-lhe assim a eternidade, Tutemósis III foi um grande rei. Tinha extraordinário talento político e militar, expandindo o território egípcio. Passou à História como um dos maiores soberanos do Egito.

Contudo, Tutemósis III governou em um cenário diferente de seus antecessores. No final do Novo Império, o mundo fora do Egito mudara. As pressões externas aumentavam, com o desenvolvimento de novas potências militares. Prova disso é que Tutemósis III levou dezessete anos para dominar os territórios a leste, tendo de desistir da expansão, detido por um povo chamado Mitani, que dominava o leste da Síria e o norte da Mesopotâmia.

**Akhenaton**

O Egito atingiu o apogeu em termos de prestígio e prosperidade com o faraó Amenófis III (c. 1410 – 1375 a. C.). Foi a mais grandiosa época de Tebas, e, como que para marcar esse fato, o faraó foi sepultado no maior túmulo jamais erigido para um rei. Infelizmente, nada mais resta desse monumento fúnebre, a não ser fragmentos de enormes estátuas que os gregos vieram a chamar de Colosso de Memmon, em referência ao lendário herói de origem etíope.

***Tutemósis III derrotando inimigos, em relevo no templo de Karnak, Luxor.***

Seu sucessor, Amenhotep IV, teve sua educação fortemente influenciada pelos sacerdotes de Heliópolis, para quem o deus-sol Re-Harakti era o maior de todos os deuses. Amenhotep IV importava-se mais com a arte do que com a guerra. Poeta, escreveu o mais famoso poema da literatura egípcia e dedicou-se a amar a esposa, a bela Nefertiti, com quem era retratado dirigindo sua carruagem ou brincando com as filhas. As antigas crônicas dão conta de que, nas ocasiões cerimoniais, Nefertiti sentava-se ao seu lado e lhe dava as mãos, enquanto as filhas divertiam-se ao pé do trono. A rainha lhe deu sete filhas, mas nenhum menino. Mesmo assim, Amenhotep IV a amava tanto que não tomou uma segunda esposa. Chegava mesmo a expressar seu amor na vida pública. Como juramento, o faraó adotou a frase "assim como meu coração fica feliz com a rainha e suas filhas".

Amenhotep IV também tinha grande devoção pelo Sol, um dos principais deuses dos antigos egípcios, venerado como pai de toda a vida terrena. Depois de sua coroação, Amenhotep IV proclamou-se o primeiro sacerdote de Re-Harakti. No quarto ano de seu reinado, o faraó decidiu construir, em Amarna, uma nova cidade dedicada ao deus-sol, a qual se chamaria Akhetaton. A cidade foi construída rapidamente, e o rei se mudou para lá no sexto ano da sua regência. Logo depois de se transferir para a nova capital, Amenhotep oficializou Aton – o disco solar – como o deus da religião do Estado e, para marcar sua sinceridade, mudou seu nome para Akhenaton, que significa "aquele que é favorável a Aton". Akhenaton não só tornou o culto ao deus-sol obrigatório, como proibiu as outras manifestações religiosas.

Entretanto, a oposição provocada pela revolução religiosa de Akhenaton concorreu para limitar seu poder. A hierarquia oficial se enfureceu e conspirou contra o faraó. O povo, estimulado pelos sacerdotes, considerou o monoteísmo de Akhenaton uma heresia, uma severa ofensa contra os deuses, e se rebelou. Até mesmo no palácio, Akhenaton era malvisto, não só pela reforma religiosa, mas por desprezar a guerra e por ter enfraquecido o Exército. Por conta disso, os Estados súditos recusavam-se a pagar os tributos devidos e, um a um, depuseram os governadores egípcios e se libertaram. Além disso, os hititas – um povo guerreiro que estabeleceu poderoso império na Anatólia, atual Turquia – pressionavam as possessões egípcias. Akhenaton não

***Busto de Nefertiti, no Museu Egípcio de Berlim***

***Papiro egípcio mostrando que os raios de Aton tocam as coisas, dando vida a tudo.***

conseguiu salvar os Mitanis que, àquela altura, haviam se aliado aos egípcios. Sem apoio dos egípcios, os Mitanis foram privados de todas as suas terras a oeste do Eufrates.

Akhenaton perdeu quase todo o apoio que tinha – apenas a esposa e alguns poucos aliados ficaram ao seu lado. Tinha pouco mais de trinta anos quando morreu. Dois anos depois da sua morte, foi sucedido por seu genro Tutancâton. O novo faraó, que depois mudou seu nome para Tutancâmon, tinha apenas nove anos quando acedeu ao trono. Quem detinha, de fato, o poder era o velho vizir Aí. A mudança de nome do rei marca a restauração do antigo culto e demonstra o fim da tentativa de reforma religiosa. O faraó morreu jovem, com cerca de dezenove anos. Provavelmente, o magnífico sepultamento de Tutancâmon, no Vale dos Reis, demonstra a gratidão dos sacerdotes pelo retorno à antiga ordem religiosa.

Na disputa sucessora que aconteceu depois de sua morte, Horemheb, que desde o reinado de Akhenaton tinha sido comandante do Exército, tomou o trono. Horemheb reinou por trinta anos, eliminando completamente os vestígios da religião de Aton. Sem descendente, escolheu Ramsés como sucessor.

*Outro aspecto do Templo de Karnak, em Luxor, Egito.*

*O deus-sol recebendo oferendas.*

## Os Ramsídios

Ramsés I já era idoso quando assumiu o reino, em 1319 a. C. Faleceu um ano depois e passou a coroa a seu filho, Seti I (1318 – 1301 a. C.), que empreendeu campanhas militares, restabelecendo o território perdido por Akhenaton. A vigésima dinastia foi fundada pelo faraó Setnakt (1197 – 1195 a. C.), e continuou até 1157 a. C., com Ramsés IV.

Além dos antagonistas tradicionais, surgiram novos inimigos. Os povos do Mar Egeu, ou Povos do Mar, estavam em franca expansão. De acordo com os registros egípcios, as ilhas do Egeu "extravasavam seus povos", e "nenhuma terra os impedia de avançar". Os chamados "povos do mar" acabaram sendo vencidos, mas foi um esforço árduo.

Ramsés II, que governou o Egito entre 1279 a 1213 a. C. instaurou uma nova época de prosperidade e glória. Seu reinado foi uma das

*Detalhe da máscara mortuária de Tutancâmon.*

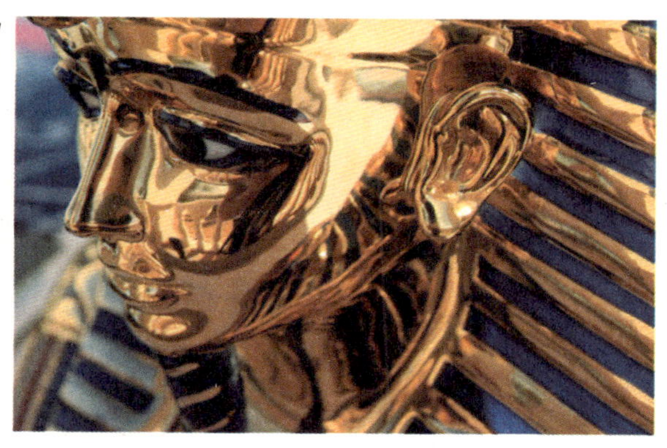

épocas de maior desenvolvimento no aspecto econômico, administrativo, militar e cultural. Ramsés II reconquistou as colônias egípcias, construiu templos imensos e gerou cem filhos e cinquenta filhas nas suas muitas esposas. Por volta de 1150 a. C., aumentam as evidências de desorganização interna. Ramsés III foi assassinado em decorrência de uma conspiração no seu harém. A partir de então, multiplicam-se os problemas econômicos.

Com efeito, os ramsídios, como são conhecidos os faraós desde Ramsés IV a Ramsés XI (1116 – 1090), marcam um período de decadência. Embora tenham conservado a Núbia, perderam o controle da Síria

*Estátua de Ramsés II, no Templo de Luxor.*

***Estátuas colossais de Ramsés II usando a coroa dupla do Baixo e do Alto Egito.***

e da Palestina para os assírios, enquanto os hebreus apoderaram-se das cidades canaanitas. Entre os principais feitos dos faraós ramsídios estão os extraordinários monumentos funerários que construíram no Vale dos Reis.

Com a diminuição dos recursos, a autoridade do rei enfraqueceu. O poder efetivo estava, de fato, nas mãos do Exército. Os sacerdotes de Amon também se aproveitaram da situação, acumulando poder e riqueza. O oráculo do Templo Imperial de Karnak comunicava a vontade de Amon, concorrendo com a autoridade divina do faraó. A natureza sagrada dos reis também era desafiada pelos saqueadores de tumbas, ávidos por se apoderar dos tesouros enterrados com os soberanos. Durante esse período, as múmias dos grandes faraós precisaram ser retiradas dos seus mausoléus para serem escondidas nos penhascos próximos ao templo de Deir el-Bahari. Ramsés XI era apenas um monarca aparente, enquanto Smendes, nonarca de Tanis, detinha o poder efetivo juntamente a Herihor. Quando Ramsés XI morreu, em 1090 a. C.,

Smendes fundou a 21ª dinastia, ao proclamar-se faraó, casando-se, para legitimar sua posição, com a filha de Ramsés XI.

No final do segundo milênio antes de Cristo, a decadência pela qual o Egito passava no final do Novo Império também ocorria com outros reinos, como o dos hititas. Nessa época, conforme observou o historiador J.M. Roberts em seu *A Short History of the World*, "estava morrendo o mundo que servira de cenário para as glórias egípcias". Esse declínio das civilizações mais antigas certamente arrastou o Egito em sua esteira.

### Terceiro Período Intermediário

A 21ª dinastia (1070 – 945 a. C.) foi marcada por uma divisão de poder entre o faraó, em Tanis, e o sumo sacerdote de Amon, em Karnak e Tebas. Também foi um período de decadência e o Egito não conseguiu manter seu domínio na Síria, Palestina e Núbia. Os líbios, descendentes de antigos prisioneiros de guerra, conquistaram um poder cada vez maior, em Bubastis, no Baixo Egito, entre Mênfis e Tanis. Quando Psusenes, o último monarca da 21ª dinastia, morreu sem deixar herdeiros, em 945 a. C., Shosheng (ou, conforme a Bíblia, Shishak), um senhor da

***Interior do templo em Abu Simbel***

guerra de Bubastis descendente de líbios, subiu ao trono, inaugurando a 22ª dinastia. Shosheng governou com vigor, renovando a presença egípcia na Palestina e na Núbia, mas seus sucessores não conseguiram manter a unidade do Egito. Os núbios avançaram ao sul, tomando cidades e territórios. Em 715 a. C., o príncipe núbio Shabaka estabeleceu-se em Mênfis como faraó.

Os sucessores de Shabaka tiveram, porém, de enfrentar os assírios e foram derrotados nas guerras que travaram. Os assírios destronaram o faraó núbio Taharka (690 – 664 a. C.) e impuseram ao Egito um rei vassalo, Necao I (672 a. C.). O sobrinho de Taharka, Tantamani, conseguiu recuperar o Egito e executar Necao, mas os assírios atacaram novamente em 663 a. C., expulsando Tantamani, tomando Tebas e fundando a dinastia Saíta.

### Os Últimos Séculos

Sob a dinastia Saíta, o Egito se reergueu sob o comando dos príncipes da cidade de Saís, no delta do Nilo, expulsando o invasor. Nesse período, conhecido como Renascença Saíta (663 – 525 a. C.), o país respirou ares de liberdade pela última vez, antes de ser conquistado sucessivamente pelos persas (525 a. C.), pelos gregos (332 a. C.) e pe-

*Neco II buscou conquistar poder naval para os egípcios.*

los romanos (30 a. C.). Foi nessa breve época de relativa tranquilidade que aconteceu a última grande expedição egípcia e que foi, caso tenha realmente tido sucesso, uma das mais audaciosas travessias marítimas de que se tem notícia. Ordenada pelo faraó Neco II, que reinou entre 610 e 595 a. C., e tripulada por navegantes fenícios, a expedição tinha a ambiciosa missão de circunavegar a África.

Neco II foi um faraó que tentou responder de forma ousada às mudanças que aconteciam no seu tempo. Para defender seu território, apoiou um antigo inimigo – os enfraquecidos assírios – contra a crescente ameaça babilônica, mas, depois de ter conseguido vitórias significativas, acabou derrotado por Nabucodonosor. Igualmente ousada foi sua resposta à expansão do comércio no delta do Nilo. Para estimular esse crescimento, Neco II começou a escavar um canal que ligaria o Nilo ao Mar Vermelho. Depois de anos de trabalho e da morte de 120.000 operários egípcios, o faraó desistiu da construção do canal, aconselhado por um oráculo que previu que a obra só beneficiaria os bárbaros. Sendo assim, o inquieto Neco II armou uma expedição com a missão de circunavegar a África. Para tanto, contratou marinheiros fenícios e ordenou que eles navegassem ao longo da costa africana, desde o Mar Vermelho, retornando pelos Pilares de Hércules, ao norte, contornando assim o continente. Heródoto, o historiador grego que dá conta da proeza, relata que os exploradores rumaram direto para a Etiópia, onde aportaram para plantar cereais e se reabastecerem, partindo depois da colheita. Dessa forma, viajaram durante dois anos, sempre parando para plantar e conseguir provisões. No terceiro ano, passaram finalmente pelos Pilares de Hércules, antigo nome do Estreito de Gibraltar, e chegaram de volta ao Egito.

Heródoto foi um investigador consciente, como pressupõe o nome de seu livro, *Istorie,* ou Investigação, que originou o termo História, a ciência que Heródoto ajudou a criar. Certamente ele verificou os fatos que contava, mesmo tendo escrito sobre a circunavegação da África mais de um século depois de Neco II. Mas, na verdade, há fortes argumentos que depõem contra a possibilidade de sucesso da expedição. O tempo da via-

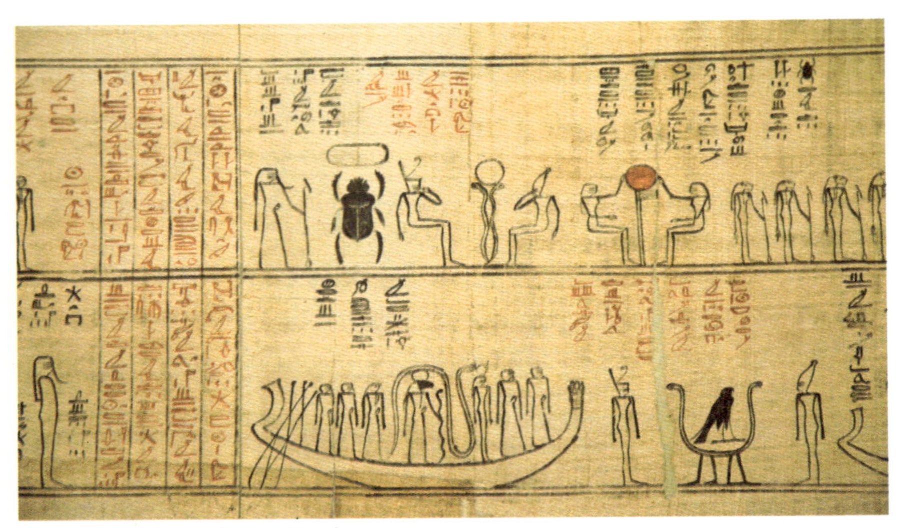

***Fragmento de papiro contendo narrativa de viagem.***

gem, por exemplo, foi curto demais. Também se considera que os navios daquela época não eram fortes o bastante para completarem a rota em toda a sua extensão, nem os marinheiros tinham conhecimentos e habilidades suficientes para conquistar seu intento. Dois mil anos depois de Neco II, com uma tecnologia náutica bem mais avançada e após muitas tentativas, os portugueses contornaram o cabo no extremo sul da África, que chamavam de Cabo das Tormentas e, então rebatizaram de Cabo da Boa Esperança. O titânico esforço português para circunavegar a África, miticamente cantado por Camões em "Os Lusíadas", empalidece qualquer argumentação de que a expedição de Neco II tenha realmente sido bem-sucedida e seria suficiente para colocar um ponto final nessa discussão.

No entanto, há dois indícios consistentes de que o continente africano foi circunavegado na Antiguidade. Heródoto escreveu que os marinheiros fenícios de Neco "contaram que ao contornar a Líbia (o nome pelo qual os gregos chamavam a África) tiveram o sol à sua direita". Para o historiador, "este fato não parece acreditável, mas talvez o seja para outros. Assim a Líbia foi conhecida". A mudança de lado nascente, que Heródoto põe em dúvida por ignorar a geografia da costa africana, é a maior evidência do sucesso da expedição, embora não seja a única.

De fato, quer tenha tido sucesso ou não na sua ambição exploratória, Neco II fortaleceu a tradição marítima iniciada, séculos antes, pelo faraó Sesóstris. O neto de Neco II, Apriés, foi ainda mais longe, coroando essa tradição. Durante seu reinado, de 589 a 570 a. C., a frota de guerra egípcia comandou o Mediterrâneo. O domínio naval de Apriés se estendeu a ponto de sua marinha tomar a cidade de Tiro, derrotando no mar os hábeis marinheiros fenícios. Depois de Apriés, o Egito se calou. Mais de cinquenta anos após a sua morte, em 525 a. C., o país foi conquistado pelos persas.

O domínio persa teve períodos positivos, como o de Dario I (521 – 486 a. C.), que enfrentou a resistência dos príncipes egípcios da região do delta. Por fim, os egípcios foram finalmente derrotados, na época de Amirteus, o único rei da 28ª dinastia que se revoltou contra o poder persa.

Por um breve período, Nectanecbo I (380 a. C.), o primeiro rei da trigésima dinastia, conseguiu reconquistar a independência do país. Os faraós dessa dinastia esforçaram-se para devolver o Egito à gloria de outrora, especialmente em termos culturais, religiosos e institucionais. Contudo, os persas voltaram a dominar o país em 343 a. C. e se manti-

***Heródoto, o "Pai da História", narrou a expedição ordenada pelo faraó Neco II (estátua de Heródoto em Viena, Áustria).***

veram na liderança do Egito até a conquista de Alexandre, em 332 a. C. A partir de então, a cultura egípcia é absorvida e mesclada aos modos e maneiras helênicos.

*Alexandre, conquistador do Egito, num mosaico romano representando a Batalha de Gaugamela, contra os persas.*

**Períodos e Dinastias Egípcias**

| Dinastias | Período |
|---|---|
| I-II | Período Protodinástico (c. 3200 – 2665 a. C.) |
| III-VIII | Antigo Reino (2664 – 2155 a. C.) |
| IX-XI | Primeiro Período Intermediário (2154 – 2052 a. C.) |
| XII | Médio Reino (2052 – 1786 a. C.) |
| XIII-XVII | Segundo Período Intermediário (1785 – 1554 a. C.) |
| XVIII-XX | Novo Império (1554 – 1075 a. C.) |

Fonte: The Legacy of Egypt, R.A. Parker, J.R. Harris editor, Oxford, 1971)

# A Religião Egípcia

O sentido da palavra "religião", do latim re-ligare, é religar a essência divina do homem ao seu ego, isto é, possibilitar o encontro entre o ego e a centelha divina que há em todos nós – que os esquimós inuítes chamam de "Grande Homem", os evangélicos chamam de "Cristo" e os hindus de "Atman". Esse conceito é o cerne de todas as religiões e é, modernamente, conhecido como "Filosofia Perene".

O termo "Filosofia Perene" foi usado pela primeira vez por um escritor cristão alemão do século XVI e explorado subsequentemente pelo filósofo Leibniz (1646 – 1716) e pelo romancista e dramaturgo inglês Aldous Huxley (1894 – 1963). No livro de Huxley, intitulado *A Filosofia Perene*, o autor diz que os rudimentos da filosofia perene estão "no saber tradicional de povos primitivos em todas as regiões do mundo, e, em suas formas mais elevadas e desenvolvidas, em cada uma das religiões mais elevadas". Daí o nome "filosofia perene": é uma percepção

***O filósofo Gottfried Leibniz explorou e ampliou o alcance do termo "Filosofia Perene".***

comum a toda humanidade que surge em épocas e lugares diferentes, mas sempre com a mesma essência. "Uma versão desse máximo denominador comum de todas as teologias precedentes e subsequentes", prossegue Huxley, "foi posta por escrito pela primeira vez há mais de vinte e cinco séculos, e, desde essa época, o tema inexaurível tem sido tratado inúmeras vezes, do ponto de vista de cada tradição religiosa e em todos os principais idiomas da Ásia e da Europa".

Em termos de doutrina, a Filosofia Perene é a "metafísica que reconhece a Realidade divina substancial no mundo das coisas, das vidas e das mentes; é a psicologia que encontra na alma algo semelhante à Realidade divina, ou idêntica a ela; é a ética que coloca o termo final do homem no conhecimento do fundamento imanente e transcendente de todo ser".

Além desse cerne, a religião formal possui outras características. Huston Smith, autor do best-seller *As Religiões do Mundo – Nossas Grandes Tradições de Sabedoria*, aponta os seis aspectos que caracterizam todas as religiões. "Esses aspectos aparecem com tanta regularidade que sugerem que suas sementes fazem parte da constituição humana", afirma Smith. São eles:

- **Autoridade:** todas as religiões possuem este aspecto, representado por instituições, corpos administrativos, pessoas imbuídas de cargos elevados em uma determinada hierarquia.

• **Ritual:** é o berço da religião, a celebração da integração entre o humano e o divino. O mitologista Joseph Campbell (1904 – 1987) sustentava que "o ritual é a encenação do mito". Os mitos, os quais representam papel fundamental nas religiões, trazem em seu conteúdo chaves de acesso à compreensão do universo místico.

• **Especulação:** as religiões buscam responder questões como "de onde viemos", "quem somos", "o que estamos fazendo aqui", "para onde vamos depois da morte".

• **Tradição:** também é função das religiões transmitir sabedoria de geração a geração. Esse aspecto levou alguns autores a se referirem a elas como "tradições de sabedoria".

• **Graça:** é a crença de que a realidade está ao nosso lado. O Universo é amigável e corrobora nossa evolução.

• **Mistério:** as religiões celebram e encerram em si o mistério que está fora do nosso alcance. Nossa mente é finita. Não pode, portanto, mensurar o infinito ao qual está ligada. As religiões são uma ponte a esse mistério.

Como uma das primeiras religiões organizadas da humanidade, a religião egípcia incluía todos esses aspectos. Seus preceitos e doutrinas estão, igualmente, enraizados na Filosofia Perene. Seus conceitos e crenças influenciaram sobremaneira doutrinas futuras, inclusive a cristã, que adotou a ideia da existência após a morte e da necessidade de se preservar o corpo do morto (embora, entre os cristãos, o motivo da preservação seja a ressurreição do corpo no Juízo Final). Além do aspecto teológico, propriamente dito, sua crença na vida subsequente à morte e sua concepção da origem do Universo, a religião egípcia pode ser vista como uma religião de Estado, fortemente condicionada pelas características de cada dinastia. Havia, ainda, uma religião popular, a qual girava em torno de superstições e práticas mágicas.

Os egípcios concebiam uma ordem cósmica que se estendia à vida humana e à ordem social. Quem mantinha essa ordem cósmica era o faraó. Seus atos influenciavam a *Maat,* isto é, a harmonia universal. No entanto, com o tempo, a crença na natureza sagrada do faraó foi, aos poucos, perdendo a credibilidade e as pessoas deixaram de confiar numa imortalidade promissora.

**A Vida Além-Túmulo**

A cultura egípcia se baseava na noção de um mundo criado com uma forma imutável. Mesmo as mudanças observadas eram interpretadas como cíclicas e pertencentes a um modelo fixo, que não se alterava. Esse pensamento originou o conceito de que a morte era tida como parte de um processo cíclico. Para as pessoas comuns, a morte era entendida como uma passagem deste mundo para o próximo. Para o faraó, porém, acreditava-se que o deus Hórus se transferia do rei morto para seu sucessor. Dessa forma, apesar da morte física, os egípcios acreditavam em imortalidade.

A convicção da vida eterna que se segue à morte e sua preocupação com essa sobrevivência do espírito tornou-se uma das concepções básicas da religião e da cultura egípcia. No início da civilização egípcia, a imortalidade era tida como uma prerrogativa do faraó e concedida a outras pessoas que continuariam servindo o rei depois de sua vida terrena. Gradualmente, porém, a imortalidade foi atribuída à nobreza e, finalmente, a todos os indivíduos.

A ideia dos egípcios a respeito da existência depois da morte é muito complexa e sofreu mudanças através do tempo. No entanto, alguns conceitos sempre estiveram presentes. Um deles é de que a vida após a morte é dependente da preservação do corpo, de forma literal, isto é, por meio da mumificação, ou por meio de imagens, consideradas um substituto para o corpo. O túmulo era necessário para manter o corpo e as imagens do morto. Outra ideia sempre presente na religião egípcia é a de que os três componentes da alma, isto é, o *Ka,* o princípio vital, Ba, o fator psíquico, e Akh, sua manifestação depois da morte, tinham uma manifestação material, embora impalpável e capaz de passar através de qualquer obstáculo.

***Representação de sacerdote fazendo oferendas ao Ka de um morto.***

É difícil de se definir a ideia de *Ka*. Talvez o que mais se aproxime do conceito original seja o de um duplo espiritual, elemento metafísico, invisível, volátil que permitia a existência dos humanos e garantia a vida eterna depois da morte. Era a essência, a substância vital, que distingue o ser vivo do morto.

Outro princípio espiritual dos antigos egípcios era o *Ba,* um elemento metafísico, imaterial e invisível que tornava o indivíduo único. Depois da morte, o Ba une-se ao Ka, por força de Nehebkau – a energia que, após o falecimento, impele o Ba e o Ka a se unirem.

As ideias sobre o tipo de vida que as pessoas levavam no outro mundo variavam de acordo com a situação social da pessoa, mas mudaram conforme o desenvolvimento da civilização egípcia ao longo do tempo. No Antigo Reino, a existência depois da morte era entendida como a reintegração dos mortos no processo cósmico. Assim, o faraó morto incorporava-se ao Sol, Aton-Ré, ou, nas pessoas comuns, o *Ba*

***Pássaros Ba no templo da deusa Hator, em Dendera, Egito.***

da pessoa falecida se transformava em *Akh*, que, por sua vez, transformaria-se numa estrela no céu – especialmente na região circumpolar do firmamento.

A partir do primeiro período intermediário, passou-se a associar a qualidade da existência depois da morte ao tipo de vida que o indivíduo levara. Foi um período de revolução espiritual. A partir de então, a imortalidade, que era, antes, um privilégio do rei-deus, passou a ser atribuída a todos os seres humanos. Todos passaram a se identificar com Osíris e a ter uma vida pessoal nos campos de Aaru, ou "campos de junco", o local onde passariam a eternidade, entre as estrelas, ou nas Terras do Oeste. Aqui os mortos tinham uma existência feliz. Podiam cultivar os campos que escolhessem, ajudados pelos bons espíritos, os *ushbetti*, em um clima ameno, onde satisfaziam-se amando, tendo filhos e descansando – uma vida terrena idílica, simples, feliz e sem as adversidades que tanto tememos. Havia, porém, o perigo de que os mortos fossem dominados antes que a alma chegasse a Aaru, o que exigia que amuletos especiais fossem colocados no cadáver e no túmulo para defendê-lo e para serem bem recebidos por Osíris.

Na medida em que a civilização egípcia entrou em decadência, também a visão da terra dos mortos tornou-se mais sombria. Nessa época, os campos de Aaru tornaram-se o oeste severo, triste e escuro. Em vez das imagens otimistas que adornavam os túmulos dos tempos antigos, nos séculos finais da civilização egípcia, a arte tumular reforçava a expectativa dos perigos que cercavam os mortos e os aspectos negativos da morte. Como resultado, os recursos mágicos e o apelo à misericórdia dos deuses aumentam.

Apesar da preocupação com a existência após a morte, os egípcios buscavam a felicidade. Helio Jaguaribe, em seu *Um Estudo Crítico da História,* escreve que "embora imerso na concepção de uma realidade imutável, os egípcios eram um povo pragmático, podendo ajustar-se a circunstâncias cambiantes e eram fortemente orientados no sentido da felicidade pessoal e do gozo da vida". Segundo o historiador, isso era possível porque os egípcios combinavam sua característica pragmática com relação às circunstâncias externas (seca, pragas, doenças etc.) com sua visão de um Cosmo imutável por conta de seu modo de pensar, baseado em dois conceitos: a consubstancialidade e a identidade múltipla.

***Reconstituição por computação gráfica da câmara mortuária de um faraó.***

De acordo com a noção de consubstancialidade, uma coisa pode manifestar-se sob outra forma, mantendo, porém, a substância original. Daí resulta a ideia de identidade múltipla, a qual admite que uma coisa possa ter várias formas, sem, no entanto, perder sua identidade. Assim, os deuses poderiam ser ou manifestar-se em pessoas ou animais.

### Múmias

A vida no outro mundo dependia de que o corpo do morto estivesse preservado. Normalmente, fazia-se isso por meio da mumificação, mas também por imagens mágicas que representavam a pessoa falecida. O rito da abertura da boca era importante. Por meio desse ritual, executado por um sacerdote, os sentidos paralisados pela morte eram devolvidos à múmia.

A preservação do corpo também exigia que o cadáver fosse colocado num túmulo apropriado, para receber a visita de seu *Ka* e *Ba*. Ofertas de alimentos e objetos usados na vida terrena, ou imagens desses objetos, eram depositadas nos túmulos. Algumas mastabas da segunda dinastia chegavam a incluir toaletes. O túmulo era, assim, uma base necessária para a existência após a morte.

***Representação do processo de mumificação no Antigo Egito, incluindo o rei Anúbis.***

*Múmia egípcia em sarcófago aberto.*

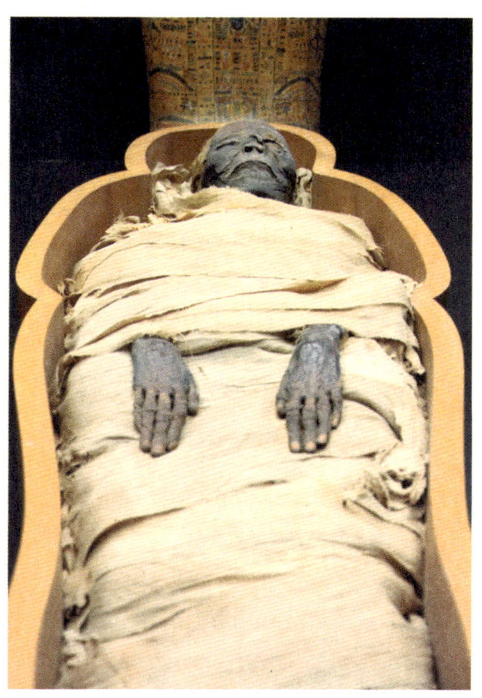

O *Ka*, o duplo espiritual, poderia sobreviver indefinidamente, se o corpo fosse preservado. Por isso, o cadáver deveria ser embalsamado por um especialista. A mumificação era realizada em oficinas anexas à necrópole, que também dispunha de grande parte dos utensílios funerários. Os métodos variavam com a época e o grau de riqueza da família do morto.

Embora não exista qualquer descrição pormenorizada desse processo, as fases do embalsamamento podem ser reconstituídas pelo exame das múmias. O processo todo demorava cerca de setenta dias e a sua parte mais importante era a desidratação do corpo, o que faziam mergulhando o cadáver numa solução de natrão, um agente desidratante natural composto de carbonato de sódio hidratado. As vísceras eram removidas por meio de uma pequena incisão no lado do abdômen, e o cérebro era retirado pelo nariz com um instrumento especial. Os órgãos internos eram colocados em recipientes apropriados, chamados de vasos canopos, geralmente feitos de alabastro, mas também de outros materiais, como calcário, cerâmica ou faiança. Os vasos canopos

***Vasos canopos.***

eram colocados na câmara funerária da pirâmide ou do túmulo, perto do caixão. As tampas, antes simples, passaram a ter, durante o Médio Império, a forma da cabeça humana e, a partir do período dos faraós ramsíadas, a cabeça dos quatro filhos de Hórus. Imset, cuja cabeça era de um homem, continha o fígado; Hapi, em forma de babuíno, os pulmões; Duamutef, o chacal, o estômago; e Qebehsenuf, o falcão, os intestinos. O coração permanecia no corpo e o cérebro era destruído, uma vez que os antigos egípcios não atribuíam função específica a esse órgão.

***Múmia de faraó. Sobre o peito, uma proteção em forma de escudo invoca Hórus.***

A análise de múmias embalsamadas no final do Novo Império e durante o Terceiro Período Intermediário revela os seguintes passos:

**1.** Extração do cérebro;
**2.** Remoção das vísceras por meio de incisão no lado esquerdo;
**3.** Esterilização das cavidades do corpo e das vísceras;
**4.** Tratamento das vísceras: remoção de seu conteúdo, desidratação com natrão, secagem, unção e aplicação de resina derretida;
**5.** Enchimento do corpo com natrão e resinas perfumadas;
**6.** Cobertura do corpo com natrão durante cerca de quarenta dias;
**7.** Remoção dos materiais de enchimento;
**8.** Enchimento subcutâneo dos membros com areia, argila etc.
**9.** Enchimento das cavidades do corpo com panos ensopados em resina e sacos de substâncias aromáticas, como mirra, canela e outras;
**10.** Unção do corpo com unguentos;
**11.** Tratamento da superfície do corpo com resina derretida;
**12.** Enfaixamento, o que inclui a colocação de amuletos, joias e outros ornamentos e objetos religiosos.

O túmulo deveria ser de pedra, de forma a constituir uma proteção impenetrável para proteger o corpo. Normalmente, uma passagem secreta conduzia a uma câmara, provida de alimentos, armas, equipamentos, com figuras de servos, esculpidas ou pintadas, que, por meio de fórmulas mágicas proferidas pelos sacerdotes, acompanhariam e serviriam para sempre o corpo e o *Ka*.

O interior do corpo era purificado, lavado com vinho e tratado com perfumes e especiarias aromáticas. Depois, o corpo era mergulhado em substâncias antissépticas, esfregado com resina adesiva e enfaixado cuidadosamente. Quando esse processo estava completo, a múmia era colocada em um esquife em cuja tampa sua imagem havia sido pintada.

*As tampas de sarcófagos reproduziam o rosto da pessoa em vida. Desse modo, seu Ka poderia reconhecer o corpo ao qual estava ligado.*

## A Religião dos Mistérios

Outra peculiaridade da religião egípcia é a chamada "Religião dos Mistérios", a qual foi um dos centros irradiadores na Antiguidade. Essas práticas iniciáticas acabaram dando origem, com o tempo, a sociedades secretas que continuaram a existir durante toda a História, como, por exemplo, a Maçonaria.

Os Mistérios consistiam de um grupo de crenças e práticas que existiu em muitos países sob diferentes formas. No Egito, eram os Mistérios

*Templo de Ísis no Lago Nasser, onde eram celebrados os mistérios dessa deusa.*

de Ísis e Osíris; na Grécia, os Mistérios de Dionísio e os de Elêusis; em Roma, os Mistérios de Baco e Ceres. Muitas das grandes mentes daquela época, como o filósofo Pitágoras, foram iniciados em alguma ou algumas dessas escolas de sabedoria.

Nada resta de puro desse conhecimento. As iniciações, feitas através da tradição oral, perderam-se ou foram corrompidas ao longo dos séculos. Fermentadas pelo segredo que envolvia as iniciações, histórias estranhas e boatos bizarros foram relacionados a elas.

O testemunho de autores clássicos mostra, porém, uma face diferente dos Mistérios. O poeta trágico Sófocles escreveu que "três vezes felizes são os mortais que descem aos reinos de Hades depois de haverem contemplado os Mistérios". Platão também testemunhou sobre a santidade das iniciações. Em *Fédon (ou Da Alma),* onde o filósofo reflete sobre vida após a morte, Platão afirmou: "admito que possuíam iluminação os homens que estabeleceram os Mistérios e que, em realidade, tiveram intenção velada ao dizerem, há longo tempo, que quem quer vá para o outro mundo sem estar iniciado e santificado jazerá no lodo, mas quem chegue ali iniciado e purificado, morará com os deuses".

***O poeta trágico Sófocles, para quem o conhecimento dos mistérios era essencial para a existência após a morte.***

# Cosmogonias

## Os Mitos Egípcios

As religiões abordam o mistério – incompreensível para nossa mente finita – lançando mão da linguagem dos símbolos. Estes inspiram e ensinam; são a matéria-prima da arte, constituindo uma "gramática" atemporal que permite acessar verdades espirituais.

Em *The Cambridge Companion to Jung* (Cambridge University Press), os psicólogos britânicos Polly Young-Eisendrath e Terence Dawson definem símbolo da seguinte maneira: "a melhor expressão possível para algo que é inferido, mas não diretamente conhecido, ou que não pode ser definido adequadamente por meio de palavras".

Um símbolo não deve ser confundido com um sinal. A diferença entre símbolo e sinal é curiosa e tem a ver não com a representação em si, mas com o receptor da informação. Por exemplo, para um cristão

*Ícones egípcios: os mitos lançam mão da linguagem dos símbolos.*

que passa em frente a uma igreja, a cruz no alto do seu campanário é um símbolo que expressa o inefável mistério do sacrifício de Cristo. No entanto, se quem passar em frente à igreja for um budista ou um muçulmano, a cruz será apenas um sinal, indicando que ali é um lugar de encontro entre pessoas da fé cristã.

Toda religião incorpora em seus preceitos uma coleção de mitos, os quais se destinam a fins específicos. Isso é tão claro que levou o presidente da Joseph Campbell Foundation, Robert Walter, a afirmar, em tom de brincadeira, que "mito é a religião do outro". Talvez soe estranho para nós ocidentais ouvir falar em "mitologia cristã", mas o fato é que todas as tradições de sabedoria lançam mão dos mitos.

Joseph Campbell, que, junto com Mircea Eliade foi, provavelmente, o maior mitologista do século XX, observou que os mitos são metáforas da vida e do universo que cumprem basicamente quatro funções. A primeira delas é a função mística, que engloba a percepção e a evocação do mistério que nos cerca. "O mito abre o mundo para a dimensão do mistério", afirmou Campbell.

A segunda função do mito lida com a dimensão cosmológica, um papel hoje restrito à ciência. Os mitos, como a ciência, também buscam explicar a origem e a natureza das coisas.

A terceira função é a sociológica. O mito suporta e valida uma determinada ordem social. E é aqui que os mitos variam tremendamente de lugar para lugar. "Você tem toda uma mitologia relacionada à poligamia e toda uma mitologia relacionada à monogamia", disse Campbell. "Qualquer uma está certa; só depende do lugar onde você está!"

É essa função sociológica do mito que estabelece leis éticas – como as estabelecidas pelos profetas hebraicos do Velho Testamento –, leis que determinam como se comportar, o que vestir, comer e o relacionamento entre os sexos.

A quarta função do mito é a pedagógica. Os mitos encerram importantes lições, as quais mostram como viver a vida de forma sábia e profícua.

Os mitos são constituídos por cosmogonias – histórias sobre a origem do Universo – e dos deuses que ordenaram o caos e ordenaram o Cosmo. Os egípcios tinham três cosmogonias, das quais derivavam seus mitos e deuses, ordenando a vida e as relações de sua sociedade.

**Heliópolis**

A primeira – e a mais fundamental – era a de Heliópolis. No princípio havia Nun, um elemento líquido, sem controle, que representava o caos. Era uma substância não criada e que tinha todas as possibilidades

*Escaravelho: inseto sagrado egípcio, símbolo do sol.*

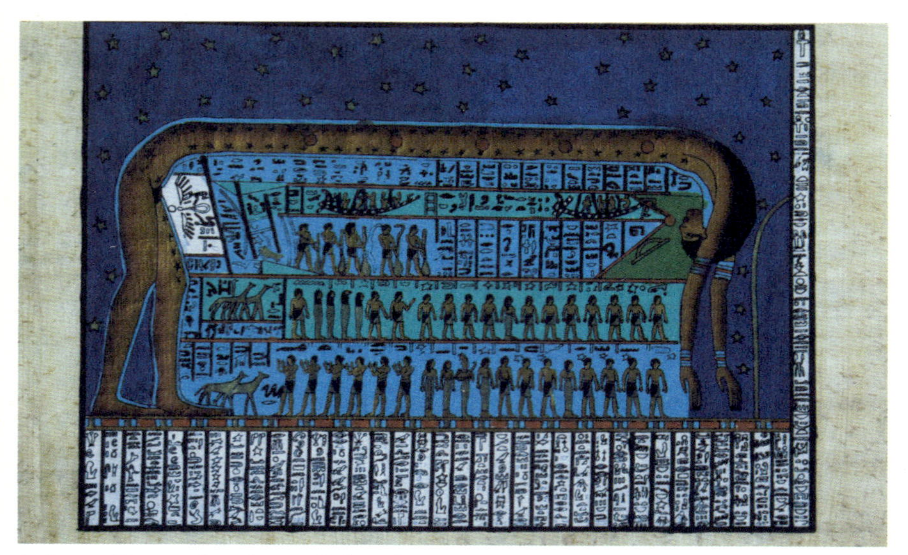

***A deusa Nut, o céu, abraça Geb, o deus da Terra, formando a abóbada celeste.***

de vida. As almas que não recebiam o benefício dos ritos funerários e os natimortos habitavam Nun. Desse caos, emergia Atum, o Sol, criado por si mesmo. Ele surgira sobre um montículo de terra que emergira das águas. Atum se masturbou e de seu sêmen foram criados dois deuses, Chu, o Seco, e Tefnut, a Úmida. Esses deuses se uniram e deram origem à deusa Nut, o Céu, e ao deus Geb, a Terra. Nut e Geb tiveram, por sua vez, quatro filhos: Ísis, Osíris, Set e Néftis.

### Hermópolis

A cosmogonia de Hermópolis descreve o surgimento da ogdóade, o conjunto dos oito deuses supremos, constituído por casais divinos: Nun e Naunet, o Oceano Primitivo, Heh e Hehet, o Espaço Infinito; Keku e Keket, a Treva; e o quarto casal era Amon, o deus oculto, e Amonet, o Ar. O nome das deusas é o feminino do nome dos deuses. De fato, esses deuses representavam os aspectos masculino e feminino que formavam os quatro elementos primordiais, dos quais tudo se originou – o Oceano Primitivo, o Espaço Infinito, a Treva e o Ar.

### Mênfis

Segundo a cosmogonia de Mênfis, Ptah era o deus da criação que moldou os seres humanos com argila. Ptah foi sucedido por Re, dissipando a treva e criando a vida.

Essas cosmogonias originaram três linhas principais de culto, com cleros específicos, em cidades distintas. Em Tebas, Amon, o Oculto, tinha seu principal centro do culto. A sé de Ré, o Sol, era Heliópolis, e Ptah, o Criador, era cultuado em Mênfis. As dinastias egípcias acabaram influenciando o aspecto dessas divindades. Sob a influência da dinastia tebana, Amon foi associado com Re, tornando-se Amon-Ra (ou Amon-Rá), reconhecido como deus supremo. Com o tempo, a teologia tebana passou a admitir apenas três deuses, a trindade Amon, Ré e Ptah. Amon é seu nome, na medida em que se oculta. Ré é seu rosto e Ptah, seu corpo. Alguns especialistas têm discutido o fato de a trindade tebana ter antecipado a cristã.

### O Mito de Osíris

Um dos elementos mais importantes da mitologia egípcia é a história da morte e do renascimento de Osíris, ao redor da qual giram os outros elementos da religião egípcia.

*O deus Ptah com o faraó Seti, no templo de Osíris, em Abidos.*

***Relevo no templo de Hórus mostrando o faraó (encarnação desse deus) abatendo Set.***

Num tempo distante, muito antes da construção das grandes pirâmides, o deus Osíris reinou sobre o Egito como o primeiro faraó. Foi uma época de felicidade e abundância. Ele e sua rainha, a deusa Ísis, ensinaram aos homens a agricultura e todas as outras artes. Seus súditos, contentes, eram gratos a eles e os veneravam.

Mas o irmão de Osíris, Set, o deus do mal, começou a sentir inveja do sucesso do faraó. Tramando sumir com o irmão e tomar seu lugar como imperador do Egito, Set convidou Osíris para um banquete. Mas era uma armadilha.

Set prendeu o irmão, amarrou-o e o colocou-o dentro de uma arca de madeira. Depois, jogou a arca no rio Nilo, achando que os crocodilos dariam um jeito no indesejado Osíris.

O povo ficou muito triste com o sumiço do faraó. E conforme a lei, o trono do Egito passou para Set.

A fiel Ísis, porém, não perdeu a esperança de encontrar o marido e saiu a procurá-lo por todo o mundo.

Depois de muito viajar e muito buscar, Ísis finalmente conseguiu encontrar a arca onde Osíris estava preso. O rei de Biblos – uma importante cidade fenícia de Gebal – a encontrara por acaso e a guardava no palácio. Ele não sabia o que ela continha, pois não tinha conseguido abri-la. Ísis contou ao rei de Biblos sobre o conteúdo da arca. Com seu poder, a deusa libertou Osíris.

Mas Set voltou a entrar em cena. Dessa vez, o invejoso deus do mal foi ainda mais cruel. Para se livrar de vez do irmão, matou Osíris e cortou seu corpo em quatorze pedaços, os quais jogou no rio Nilo.

Nem isso fez Ísis desistir. Com a ajuda de Anúbis, o deus com cabeça de chacal, protetor dos mortos, Ísis recuperou todos os pedaços do corpo de Osíris. Então, ela e Anúbis ressuscitaram Osíris. Para isso, fizeram a primeira múmia, a de Osíris, e executaram poderosos rituais que o reviveram.

***Hórus, em revelo no templo de Kom Ombo.***

Faltava agora recuperar o trono do Egito antes que Set devastasse o país ainda mais. Osíris, porém, só conseguiu isto através de seu filho Hórus.

Desde criança, Hórus quis vingar seu pai. Quando se tornou adulto, levou o caso ao tribunal dos deuses, que decidiram a seu favor. Mas nem assim Set cedeu. Hórus foi obrigado a lutar com seu tio. No final, ele conseguiu reconquistar o reino a que tinha direito.

Logo que o novo faraó tomou o trono, o país se cobriu de verde novamente, e seu povo voltou a ser feliz.

Osíris resolveu, então, partir para o Reino dos Mortos, onde continua a reinar.

A partir de então, os egípcios passaram a venerar cada um de seus faraós como Hórus, o deus falcão, e, depois de morto e mumificado, como Osíris, o Senhor dos Mortos.

**Tuat**

Tuat, ou Duat, é uma vasta região sob a terra, ligada à Nun, as águas do abismo primordial. É o reino de Osíris, o submundo habitado pelas almas dos mortos. À noite, o deus Ra – o Sol – viaja de oeste para leste

***Túmulo de um faraó.***

***Deuses e entidades do Antigo Egito.***

através do Tuat, onde enfrenta temíveis demônios e seu maior inimigo, a serpente Apep, a qual sempre mata, mas que renasce para voltar a combater o deus à noite.

Os túmulos são portais que comunicam o mundo dos vivos a Tuat. Os textos sobre Tuat que chegaram até nós, pertencentes a diferentes períodos, dão uma perspectiva diferente sobre esse mundo mítico. Como em tudo o que se refere à longa história da civilização egípcia, também o conceito do Tuat mudou ao longo do tempo.

A geografia dessa região é semelhante ao mundo que os egípcios conheciam. Há rios, ilhas, campos, lagos, montanhas e cavernas; há, igualmente, locais fantásticos no reino de Osíris, como lagos de fogo, muralhas de ferro e árvores de pedras preciosas.

Os sacerdotes egípcios escreviam um roteiro de viagem, o Livro dos Mortos, para orientar as almas através do Tuat e preveni-las dos perigos que as aguardavam nesse lugar. O morto tinha de passar por uma série de portões guardados por espíritos perigosos – seres antropozoomórficos, com corpos de homens e mulheres e cabeças de animais, que ameaçavam os espíritos viajantes. Dessa forma, o texto descreve uma série de ritos de passagem que os mortos teriam que passar para conquistar a existência depois da morte.

As almas que conseguissem enfrentar os perigos do caminho sem serem destruídas chegariam a um salão, onde seriam julgadas. Para tanto, seu coração era pesado por Anúbis, diante de Osíris. O contrapeso usado por Anúbis era uma pena, dada por Maat, a deusa da verdade e da justiça. O coração de alguém que não seguiu Maat em vida era mais pesado que a pena e os espíritos nesta condição eram devorados por Ammit, o Devorador de Almas. Àquelas almas que passaram no teste seria permitido continuar viagem até Aaru, ou "campos de junco" – o paraíso dos egípcios.

# Os Deuses Egípcios

### As Divindades Egípcias

Os deuses egípcios eram antropozoomórficos, isto é, tinham a forma de animais e de humanos – geralmente, mas nem sempre, de homens ou mulheres com cabeças de animais. Como era comum na Antiguidade, os mesmos deuses assumiam aspectos diferentes nas diversas cidades onde eram cultuados. Eram deuses locais – ou, como no caso da Grécia, nacionais –, patronos das cidades que os celebravam. Assim,

*Os deuses egípcios eram antropozoomórficos, isto é, tinham características humanas e animais.*

***Os deuses Anúbis, Set, Hórus e Hator***

quando os reinos ao longo do Nilo foram unificados, novos deuses acabaram fundindo-se com outros mais antigos. Isso também fez com que as consortes de certos deuses variassem de região para região e de era para era, originando lendas sobre os adultérios dos deuses.

Como acontece na religião hindu, os egípcios tinham inúmeros deuses e deusas, cultuados em diferentes locais. Alguns deles assumiram maior importância; outros eram celebrados apenas em alguns lugares. Ao longo de milhares de anos, o panteão egípcio foi sendo alterado, tornando-se extremamente complexo.

Para os egípcios, no princípio havia um ser supremo, eterno, imortal, onisciente, onipresente e onipotente. Esse princípio primordial, chamado de "neter", desdobrou-se em diversos aspectos, os *neteru*. A palavra nada mais é do que o plural de "neter". Os neteru têm, cada qual, atributos que regem e mantêm a ordem cósmica. Esses neteru são os deuses egípcios, criados a partir de tal princípio cosmogônico original, o neter. Há os neteru primordiais (Nun, Atum, Amon, Aton, Rá, Ptah, Hu). Em seguida, há os neteru geradores (Shu, Tefnut, Geb, Nut). Há ainda os neteru de primeira geração (Osíris, ísis, Set e Néftis), os neteru de segunda geração (Hórus, Hator, Thoth, Maat, Anúbis, Anuket, Bastet, Sokar, Sekhmet) e outros neteru menores (Mafdet, Nekhbet, Serket, Sobek, Meretseguer, Iah, Montu, Uadjit, Bes, Hapi). A antiga religião egípcia cultuava, também, deuses animais (Ápis, Ammit, Mnévis, Benu) e humanos deificados (Amenófis, Imhotep).

Os deuses egípcios pertenciam a famílias divinas, formando o que os gregos chamaram de *enéades* (ou pesedjet, em egípcio), isto é, um agrupamento de nove divindades, geralmente ligadas entre si por laços familiares. A mais importante enéade era a de Heliópolis.

De acordo com a cosmogonia dessa cidade, no princípio existiam apenas as águas do abismo primordial, e Nun, das quais emergiu uma colina, sobre a qual encontrava-se um deus que tinha gerado a si mesmo, Atum. O deus masturbou-se e, de seu sêmen, nasceram outras divindades, Chu (o ar) e Tefnut (a umidade). O casal de irmãos, por sua vez, gerou Geb (a terra) e Nut (o céu), que também se acasalaram e criaram Osíris, Ísis, Set, Hórus e Néftis, formando, assim, a primeira enéade. Outras enéades, como a de Abidos e a de Tebas, eram compostas não por nove deuses, mas por sete e quinze, respectiva-

***Relevo com imagem de Ísis e Osíris no Templo de Osíris, em Abidos.***

mente. Havia ainda a "Pequena Enéade de Heliópolis" composta por Thoth, Anúbis, Maet e Khnum.

**Os Deuses e seus Atributos**

**Amenófis (filho de Hapu)**

Amenófis é um humano deificado. Como os santos católicos que, por terem levado uma vida exemplar, atingiram a condição divina, também os antigos egípcios atribuíam um caráter sagrado àqueles que conquistaram grandes realizações. Estes eram, acreditavam, como a expressão divina num determinado homem. Amenófis, conhecido como "filho de Hapu" (1440 a. C. - 1360 a. C.) foi um vizir do faraó Amenófis III durante a 18ª dinastia egípcia. De origem humilde, Amenófis começou a sua carreira como escriba. Competente arquiteto, supervisionou, entre outras obras, os Colossos de Memnon, como os gregos chamavam as estátuas de pedra do faraó Amenófis III. O faraó demonstrou sua gratidão

*O faraó Amenófis III, senhor do arquiteto deificado Amenófis, fazendo uma libação num relevo do Templo de Amon, em Karnak, Luxor, Egito.*

*Esfinges com cabeça de carneiro no Templo de Amon, em Karnak.*

ao vizir dedicando a ele uma estátua no seu templo de Karnak, o que representava uma grande honra, especialmente porque Amenófis era plebeu. Morreu com oitenta anos e foi sepultado em um túmulo escavado na rocha, às margens do Nilo, em Tebas. Ao ser deificado, foi considerado uma divindade relacionada à cura, e foi associado a Osíris e a Amon-Ré. Era representado como um homem segurando um rolo de papiro.

**Ammit**

O temível Ammit é a personificação da retribuição divina para todos os males realizados em vida. Era o cão do tribunal de Osíris, onde se realizava o julgamento final, quando o coração do morto era colocado na balança de Osíris e o peso revelava seus atos em vida. Se a alma fosse má, era devorada por Ammit, deixando de existir pra sempre. Foram encontrados papiros com orações para afastar Ammit durante o sono.

**Amon**

Amon, Ámon, Amun, ou em egípcio Yamānu, "O Oculto", era uma das principais divindades egípcias, o rei dos deuses e força criadora de vida. Deus originário de Karnak, tinha como consorte Mut, em quem gerara Khonsu. Seu principal centro de culto era Tebas.

Amon, embora identificado com o sol, era representado de várias formas diferentes: animal, corpo de homem e cabeça de animal, ou homem usando um barrete adornado com duas grandes plumas. Por

***Amon oferecendo o ankh, símbolo da vida, ao faraó Tutemósis IV.***

vezes, era representado como ganso ou carneiro, animais a ele associados. Seus sacerdotes tinham a cabeça raspada e vestiam túnica branca com capa de pele de leopardo. Os sacerdotes de Amon chegaram a acumular tanto poder que o faraó Amenófis IV, mais tarde Akhenaton, substituiu o seu culto pelo de Aton. Não teve, porém, sucesso.

**Anput**

Anput é esposa do deus Anúbis e mãe da deusa Kebechet.

**Anúbis**

Anúbis é o nome grego do deus egípcio Inpu, com cabeça de chacal, associado com a mumificação e a existência após a morte. É filho de Néftis, esposa de Set, que, durante uma briga com o marido, passou-se por Ísis e teve relações com Osíris, concebendo o deus chacal.

Anúbis é uma das mais antigas divindades da mitologia egípcia e seu papel mudou nos diferentes períodos da história dessa civilização. No Antigo Império, Anúbis era o deus dos mortos mais importante. Contudo, no Médio Império, cedeu lugar a Osíris. Sua função fúnebre continuou, porém. Era Anúbis quem pesava o coração do morto contra a Pena da Verdade na balança de Osíris. E, se o coração fosse mais leve que a pena, era também ele quem guiava a alma dos mortos até o Além. Como foi Anúbis quem embalsamou o corpo de Osíris, criando, assim, a primeira múmia, e inventando o processo de mumificação, ele também era o deus do embal-

*O deus Anúbis.*

samamento. Identificado com o chacal, provavelmente por ser um animal que frequenta cemitérios, os sacerdotes de Anúbis usavam máscaras de chacais durante os rituais que executavam.

Em suas representações, Anúbis era pintado de preto, por ser escura a tonalidade dos corpos embalsamados. A esposa de Anúbis, seu aspecto feminino, é Anput e a sua filha é Kebechet.

**Amonet**

Identificada pelos gregos como a deusa Atena, Amonet era o aspecto feminino de Amon. Assim como seu consorte, seu nome significa "A Oculta". Ambos representavam o intangível, o oculto e o poder que não se extingue. Em algumas representações, Amonet aparece como uma mulher com cabeça de rã; em outras como uma vaca. Amonet desempenhava um importante papel nas cerimônias de coroação do faraó.

*Hieróglifos numa tumba egípcia.*

### Anuket

Anuket, ou Anukis, era uma divindade, inicialmente, ligada à água; mais tarde, tornou-se uma deusa associada à sexualidade. Como a água, que a tudo envolve, seu nome significa, justamente, "abraçar". Esposa de Khnum, seu culto centrava-se na ilha de Sehel. Era representada como uma mulher usando um toucado ornado com plumas ou vegetais, ou, então, uma gazela – o animal a ela associado. Os ptolomaicos a relacionavam à Héstia, deusa grega do lar.

### Apep

Apep, ou Apófis, como os gregos a chamavam, é a gigantesca serpente inimiga de Rá, que o combatia toda noite, tentando destruir a barca do deus. Embora Rá sempre a matasse, Apep, invariavelmente, ressuscitava. Servido por hordas de demônios em forma de serpentes de fogo, Apep personifica o caos do submundo e a aniquilação resultante desse caos. Por isso, Apep é inimiga jurada dos deuses, os quais são sua contrapartida, uma vez que ordenam o Cosmo.

Os egípcios acreditavam que, quando havia um eclipse, era o corpo gigantesco de Apep que cobria a luz, ao tentar destruir a barca de Rá (como chamavam o Sol) e devorá-lo. Um mito tardio

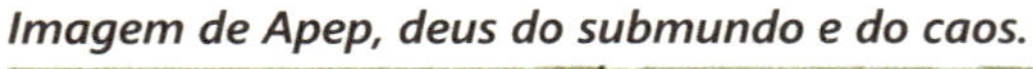

*Imagem de Apep, deus do submundo e do caos.*

*Faraó com a cabeça do boi Ápis, no Templo e Hórus, em Edfu, Egito.*

dá conta de que, no final, Rá prendeu Apep nas profundezas do Tuat com Bastet, a deusa gata, ou, em algumas versões, com Sekhmet, a deusa leoa, em uma luta brutal e eterna. Outras variações desse mito afirmam que o deus prendeu o inimigo em um mar de escaravelhos que há em Tuat.

### Ápis

Ápis – Hapi-ankh, para os egípcios –, a personificação da Terra, era a encarnação de Osíris em um touro branco, o touro de Mênfis, simbolicamente representado como um touro branco ou, então, negro com um triângulo branco na testa.

### Aton

Aton é um dos deuses egípcios mais importantes. É o disco solar, adorado pelo faraó Akhenaton, que impôs seu culto em detrimento do culto dos outros deuses, especialmente Amon.

*O disco solar, símbolo de Aton.*

*Atum, deus egípcio adorado em Heliópolis.*

## Atum

Atum, adorado em Heliópolis, é a transformação de Nun – o ser subjetivo – no ser objetivo. É deus primordial e criador: foi ele quem provocou a explosão que gerou os demais entes do Universo. Atum criou o sol da tarde e, quando "torna-se a si mesmo", transforma-se em Rá e se torna Atum-Rá. Este deus, por sua vez, gerou sozinho os primeiros neteru, os gêmeos Shu (deus do ar) e Tefnur (deusa da umidade), e criou o sol da manhã. Então, criou o céu e a terra e os separou. Os irmãos, por sua vez, uniram-se e tiveram um casal de filhos, Geb (deus da terra) e Nut (deusa dos céus). Os netos de Rá também se uniram – o que desagradou o avô. Assim, Rá ordenou a Shu que ele separasse os filhos. Shu empurrou Nut para cima e pressionou Geb para baixo. Enquanto Nut se tornava o céu que cobre o mundo, Geb virou a terra em que vivemos. Shu, o ar que respiramos, permaneceu entre os filhos.

## Bastet

Bastet, a deusa felina, também chamada de Bast, Ubasti, Ba-en-A-set ou Ailuros, que, em grego, significa "gato", é uma divindade solar, deusa da fertilidade e protetora das mulheres. No período ptolomaico, os invasores gregos associaram Bastet a Ártemis, deusa da lua e das florestas. Por conta disso, Bastet passou a ser uma deusa lunar. A deusa era vista como uma mulher com cabeça de gato, levando um sistro (instrumento musical sagrado). Em algumas representações, tinha um cesto, onde colocava as crias, ou podia ser pintada ou esculpida como um simples gato.

*A deusa Bastet, uma das filhas de Rá.*

Por vezes, assume os atributos de Sekhmet, adquirindo o aspecto feroz de leoa. Como a deusa hindu Kali – o princípio feminino que gera tanto quanto destrói –, esse aspecto da deusa é, de fato, raivoso. Certa vez, Rá ordenou a Sekhmet que punisse os homens por causa de sua desobediência. A deusa castigou a humanidade com tanta brutalidade, que Rá precisou embebedá-la, fazendo-a dormir, para que ela não acabasse exterminando toda a raça humana. Assim, Sekhmet adormecida é a gata, mansa e doméstica, Bastet – seu outro lado.

Seu centro de culto era a cidade de Bubástis, no delta do Nilo. Seus templos eram verdadeiros gatis, onde os gatos, considerados encarnação da deusa, eram tratados com toda atenção e cuidado. Quando os animais morriam, eram mumificados e enterrados em necrópoles próprias. Vários desses cemitérios de animais foram descobertos por arqueólogos.

### Bat

Bat, a vaca, é uma das divindades mais antigas do panteão egípcio, cultuada desde o final do Paleolítico, quando iniciou-se a domesticação dos animais, neste caso, de bois e vacas. Mas Bat também tinha aspecto antropozoomórfico. Por vezes, era retratada com face humana, orelhas e chifres de vaca. Na época do Império Médio, sua identidade e seus atributos foram incorporados pela deusa Hator.

***Anúbis segurando a cruz ansata (ankh) relacionada ao sistro, instrumento sagrado de Bat.***

Bat tornou-se fortemente associada com o sistro, um instrumento musical egípcio muito usado em cultos e celebrações religiosas. O sistro tinha a forma semelhante ao ankh – a cruz ansata, hieróglifo que representa a palavra "vida", símbolo da vida eterna. O centro do seu culto era conhecido como a "Mansão do Sistro".

## Benu

Benu é uma divindade animal, a garça real. Seu nome deriva do verbo egípcio "brilhar", e a garça simbolizava o *Ba* do deus Ré – o sol, como Atum –, quando ele surgiu, no momento da criação do mundo. Inversamente, a ave também era vista como o *Ba de Osíris,* quando o deus foi assassinado por Set. Os invasores gregos associaram Benu à fênix. Segundo eles, Benu surgia apenas a cada quinhentos anos e fazia uma fogueira na qual perecia e, das cinzas, tornava a surgir como uma nova ave.

***O pássaro Benu, como a fênix, renascia das próprias cinzas.***

*Bes, a divindade da alegria, no Templo de Hator.*

## Bes

Bes, divindade do prazer e da alegria, era um anão gordo e monstruoso. Era o bobo da corte dos deuses. É o único membro do panteão egípcio representado de frente, em vez de perfil, como é regra na arte dessa civilização. Era associado ao parto e às crianças. Quando a mulher estava dando à luz, acreditava-se que Bes dançava, abanando o seu chocalho e gritando para assustar demônios que poderiam prejudicar a criança. Depois do nascimento, Bes ficava ao lado do berço entretendo o bebê. Quando a criança ria sem motivo aparente, dizia-se que Bes estava presente, fazendo caretas para alegrar o bebê.

## Geb

Geb, ou Seb, o deus da terra, filho de Shu e de Tefnut, marido de Nut e pai de Osíris, Ísis, Set e Néftis, é uma das divindades primordiais do Antigo Egito. Estava sempre deitado sob a curva do corpo da sua esposa Nut, o céu. Um de seus atributos era aprisionar espíritos maus para que não pudessem ir para o céu. Por isso, era, igualmente, um deus da morte. Como deus da terra, suporte físico do mundo, garante a riqueza material e assegura aos homens um enterro no solo após a morte. Suas cores eram o verde – cor da vida – e o preto – a lama fértil do Nilo. É o responsável pela fertilidade e pelas boas colheitas. Associado ao ganso, era sempre representado com uma dessas aves sobre a cabeça.

***Relevo com imagem do deus Hapi usando a coroa de lótus, no templo do faraó Seti I.***

**Hapi**

Hapi, ou Hapy, uma divindade relacionada ao rio Nilo e protetora da direção norte, era um dos quatro filhos de Hórus, que protegiam o trono de Osíris no além-mundo. Hapi é representado como um humano mumificado com cabeça de babuíno. É um dos vasos canopos, onde depositavam-se os órgãos da múmia. O vaso de Hapi guardava o pulmão.

**Hator**

Hator, ou "casa de Hórus", é uma das deusas de maior relevo no panteão egípcio. Personificava os princípios do amor, da beleza, da música, da dança, da maternidade e da alegria. Seu aspecto maternal conferia-lhe o atributo de ser protetora das mulheres durante o parto e, também, relacionava-a com a fertilidade feminina. A "Senhora do Oeste", como era invocada nas sepulturas, era uma das divindades mais populares do Egito Antigo, cultuada tanto pela nobreza quanto pelas pessoas comuns. Era Hator quem recebia os mortos na além-vida.

O culto a Hator remonta ao período pré-histórico. Desde cedo, era representada como uma vaca divina, com um disco solar entre os chifres. Os gregos a identificavam com Afrodite e, em Heliópolis, manifestava-se como Nebethetepet, a "senhora da oferenda".

Hator é mãe e, por vezes, filha e esposa de Rá. Em um mito, ela surge como o olho de Rá. Como mãe de Rá, dava à luz a ele toda manhã e, como esposa, concebia-o através da união com o deus, todos os dias.

***A capela de Hator, no templo da faradisa Hatshepsut.***

Hator também era uma divindade celestial, associada à deusa Nut, com quem representava a Via Láctea. As quatro patas da vaca celestial eram os pilares sobre os quais o céu repousava, com as estrelas em sua barriga formando a Via Láctea, através da qual a barca solar de Rá – o Sol – navegava. Um dos nomes alternativos de Hator, Mehturt, ou "grande enchente", fazia referência a essa associação com a Via Láctea, vista pelos antigos egípcios como um canal de água que cruzava o firmamento, o "Nilo no Céu", por onde navegavam tanto o Sol como a Lua. Esse atributo levou Mehturt a ser responsável pela inundação anual do Nilo. Outra consequência desse seu aspecto aquático era anunciar os nascimentos, quando o saco amniótico se rompe, liberando seu líquido – suas "águas". Enquanto Via Láctea, era, igualmente, a serpente primordial, Wadjet – outro aspecto da deusa-mãe.

Na fusão que se deu entre divindades cultuadas em tempos pré-históricos de diferentes regiões ao longo do Nilo, Hator também se identifica com outra vaca, antiga deusa da fertilidade, a vaca Bat. E, como Bat, relacionava-se, também, ao *Ba,* um dos componentes da alma, sendo que acabou ligada à existência após a morte. Com seu aspecto maternal, Hator, em seu caráter de Senhora da Necrópole, recebia as almas dos mortos no Tuat – o submundo, onde Osíris reina –, e lhes dava comida e bebida.

*Outro aspecto da capela de Hator no templo de Hatshepsut.*

O culto a Hator centrou-se em Dendera, no Alto Egito, e, devido à relação da deusa com a música, era oficializado por sacerdotisas e sacerdotes dançarinos, cantores e artistas.

Finalmente, Hator era deusa da alegria e, por isso mesmo, amada profundamente pelos egípcios de todas as classes, especialmente pelas mulheres, inspiradas por seus atributos de mãe, esposa e amante. Mais do que qualquer outra divindade egípcia, diversos festivais eram dedicados à sua honra e mais meninas recebiam o seu nome do que qualquer outra deusa. Como deusa da família, tanto homens quanto mulheres podiam servi-la como sacerdotes.

Outra alteração que Hator sofreu ao longo do tempo, devido à fusão entre as divindades de diversas origens, foi

*Hator, como a vaca sagrada.*

a incorporação dos atributos de Seshat, deusa da escrita, esposa de Thoth. Quando assumia esse aspecto, era representada como uma mulher amamentando seu bebê. Como Seshat, Hator passou a ser, também, testemunha no julgamento das almas no Duat. Como ela recebe os mortos com alimento e bebida, ela também aparece como esposa de Nehebkau, guardião da entrada do mundo inferior e o elemento que, depois da morte, fazia com que o *Ba* se unisse ao *Ka*.

### Hesat

Hesat era a manifestação terrena de Hator, a vaca divina. Como Hator, também era vista como esposa de Rá, na forma terrena desse deus, o touro Mnévis. Era considerada a ama de leite dos deuses, provedora de todo alimento. Divindade da abundância, era representada como uma vaca branca, com leite escorrendo de suas tetas, levando uma bandeja de comida sobre seus chifres. Em algumas tradições, por ser provedora de alimento e, portanto, doadora de vida, Hesat era mãe da divindade que representava o princípio oposto, Anúbis, deus da morte. Assim, Hesat formava uma tríade familiar com Mnévis e Anúbis, que ocupava importante lugar nos cultos do Egito Antigo.

***A divina vaca Hesat, em um relevo no Templo de Luxor, em Tebas, Egito.***

## Kebechet

Kebechet (Qeb-hwt), filha de Anúbis, deus egípcio da morte e dos moribundos, era deusa do frescor e da purificação pela água e, por isso, regia os líquidos do embalsamamento. Era Kebechet quem dava água para os espíritos dos mortos, enquanto esperavam que o processo de mumificação fosse concluído. Kebechet era representada como uma serpente – um símbolo relacionado ao princípio feminino, ou como uma mulher com a cabeça de uma cobra. Por vezes, embora mais raramente, era retratada como avestruz.

## Hórus

O deus com cabeça de falcão, Hórus, filho de Osíris e de Ísis – e também esposo da mãe – era o senhor do céu, o espírito do faraó encarnado. Com seus pais, formava a sagrada família do Egito. Ísis, a mãe, provedora e mantenedora, Hórus, o Sol, o faraó, o governador que regula os ciclos da terra, e Osíris, o senhor do submundo, que presidia sobre a existência após a morte.

Em seu papel de vingador, foi Hórus quem matou Set, não só para honrar a morte do pai, Osíris, mas para tomar o trono do Egito. Na luta, perdeu um olho, que foi substituído pelo amuleto da serpente, o Olho de Hórus, o qual os faraós passaram a usar em suas coroas. O olho ferido de Hórus, o esquerdo, é a Lua, com suas fases; o

*O deus Hórus, espírito do faraó encarnado.*

***O Olho de Hórus, símbolo de proteção e poder.***

olho são é o Sol. O Olho de Hórus era um importante símbolo, o Wedjat, que, além de garantir poder, afastava o mau-olhado.

Numa das versões da história de Hórus, o deus falcão foi concebido por Ísis, quando Osíris já estava morto. Ísis, na forma de um pássaro, pousou sobre a múmia do marido, sendo, assim, fecundada.

**Hu**

Hu é a divinização da primeira palavra, a palavra da criação, que Atum pronunciou quando ejaculou, ao se masturbar, no ato que criou a enéada – os nove deuses originais do Egito. Hu era, ocasionalmente, identificado com Thoth e, no Egito ptolomaico, fundiu-se a Shu, o ar.

**Iah**

Iah, ou Aah, era o deus da lua, representado como um homem, trazendo o disco solar e a lua crescente sobre a sua cabeça. Também era associado ao íbis, ao falcão, ao deus Thoth e ao deus Khonsu. Vários membros da família real tebana, que expulsou os hicsos do Egito, traziam Iah em seus nomes, como Iah-hotep I ("Aah está satisfeito"), mãe de Amósis ("Iah nasceu"), fundador da 18ª dinastia, e sua esposa Amósis-Nefertari ("nascida da lua, a mais bela das mulheres").

**Imhotep**

Imhotep é um personagem histórico que foi divinizado. Vizir do rei

*Relevo retratando o sacrifício de uma vaca, em Saqqara.*

Djoser, da terceira dinastia, é tido como o primeiro arquiteto, engenheiro e médico da história antiga. De origem plebeia, a partir do Primeiro Período Intermediário, Imhotep também passou a ser reverenciado como poeta e filósofo. A localização de sua sepultura, construída por ele mesmo, foi escondida cuidadosamente e ainda hoje não foi descoberta. Acredita-se que esteja em algum lugar de Saqqara.

A existência histórica de Imhotep é confirmada por duas inscrições: uma feita no pedestal de uma estátua do faraó Djoser; a outra é uma referência a ele na muralha que circunda a pirâmide interminada de Sekhemkhet. A segunda inscrição sugere que Imhotep teria vivido mais alguns anos depois da morte de Djoser e que teria colaborado na construção da pirâmide do rei Sekhemkhet.

*A pirâmide em degraus do faraó, Djoser, projetada por Imhotep.*

Provavelmente, a maior realização de Imhotep foi a criação e a construção da primeira pirâmide do Egito – a pirâmide de Saqqara, com seis enormes degraus e altura de cerca de 60 metros. Imhotep criou a pirâmide em degraus a pedido do faraó Djoser, que desejava ser enterrado no túmulo mais grandioso que jamais houvera no Egito. Imhotep realizou o projeto, incluindo a noção de uma "escada para o céu", representando a ascensão do faraó ao céu.

**Ísis**

Ísis, ou, em egípcio, Auset, era uma das principais divindades do Egito Antigo, cujo culto se estendeu por todas as partes do mundo greco-romano. Senhora misericordiosa, deusa da maternidade e da fertilidade, incorporava o modelo da mãe e da esposa ideais, protetora da natureza e da magia, consolo dos desvalidos, oprimidos, e dos escravos, pescadores, artesãos, que, enquanto provedora de graças, também atendia os ricos, os aristocratas e os governantes.

Ísis, filha de Geb, o deus da Terra, e de Nut, é esposa e irmã de Osíris, com quem teve Hórus. Irmã dedicada e esposa fiel, com suas

***A rainha Nefertari, esposa de Ramsés II, fazendo uma oferenda a Ísis.***

habilidades mágicas, Ísis reuniu os pedaços de Osíris e devolveu a vida ao marido morto, depois de o deus ter sido assassinado e retalhado por Set.

Entre seus muitos atributos, Ísis era, também, a deusa da simplicidade, protetora dos mortos, das crianças, senhora da magia e da natureza. Em mitos posteriores, as cheias anuais do Nilo eram descritas como as lágrimas que Ísis derramara pela morte do marido. Tendo absorvido os atributos de diversas deusas egípcias e, quando seu culto se difundiu no exterior, em outras nações, era conhecida como "Ísis dos Dez Mil Nomes".

Em *O Asno de Ouro,* obra em que o escritor romano Lúcio Apuleio descreve os poucos conceitos das religiões de mistério que sobreviveram, Ísis apresenta-se ao personagem Lúcio, enumerando alguns de seus atributos:

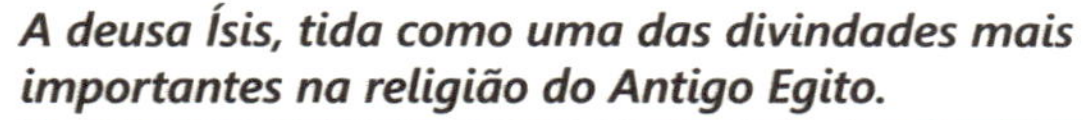

***A deusa Ísis, tida como uma das divindades mais importantes na religião do Antigo Egito.***

"Você me vê aqui, Lúcio, em resposta à sua oração. Eu sou a natureza, mãe universal, senhora de todos os elementos, filha primordial do tempo, soberana de todas as coisas espirituais, rainha dos mortos, também rainha dos imortais, a manifestação única de todos os deuses e deusas que são; o meu comando governa as alturas brilhantes dos céus, a salutar brisa do mar. Embora eu seja adorada em muitos aspectos, conhecidos por nomes incontáveis, alguns me chamam de Juno, outros de Belona, os egípcios que se destacam no aprendizado e no culto antigo me chamam pelo meu verdadeiro nome, Rainha Ísis."

A devoção a Ísis foi popular em todo o Egito, embora os santuários mais importantes fossem localizados em Guizé e em Behbeit el-Hagar, no delta do Nilo, origem provável de seu culto. A importância de Ísis atingiu sua proeminência no período final do Império. A deusa incorporou os atributos de outras deusas, as quais tinham centros de culto firmemente estabelecidos. Durante os períodos helenista e romano, seu culto difundiu-se para além das fronteiras do Egito, disseminando-se tanto no Oriente como no Ocidente. Mesmo em Roma, onde templos e obeliscos foram erguidos em sua homenagem, a fé nessa deusa egípcia era popular. Na ilha de Filas, no Alto Nilo, o culto a Ísis e Osíris persistiu até o século VI da nossa era, quando o Cristianismo já estava bem estabelecido. Era o único templo pagão do Império Romano que havia sido poupado do Decreto de Teodósio (c. de 380 d. C.), que determinava a destruição de todos os templos pagãos. Por conta de um antigo tratado firmado entre os sacerdotes de Filas e o imperador Diocleciano (244 – 311 d. C.), esse templo pagão foi o último a ser fechado pelos imperadores cristãos.

A deusa também era padroeira dos Mistérios de Ísis, um dos mais significativos ramos das religiões de mistérios, associados à morte e ao renascimento. Como consorte de Osíris, o Senhor dos Mortos, a deusa é associada à morte. Ísis também é mãe e esposa de Hórus, símbolo do faraó. Por isso, a deusa era vista como esposa, mãe e protetora do rei do Egito.

Um mito tardio conta que Ísis foi mãe adotiva de Anúbis. Essa versão atesta que Set negava um filho a Néftis. Para seduzi-lo, Néftis disfarçou-se como Ísis. O plano falhou, mas Osíris passou a desejar Néftis e, possuindo-a, nela gerou Anúbis. Com medo das represálias de Set, Néftis persuadiu Ísis a adotar Anúbis, para que a criança não viesse a ser descoberta e morta. Por ser filho do Senhor do submundo e por viver com o pai, Anúbis tornou-se uma divindade do submundo.

Outro aspecto importante de Ísis é o de mãe – e, por vezes, esposa – de Hórus. Logo depois de tê-lo gerado no corpo reconstituído de Osíris, Ísis fugiu com o pequeno Hórus para escapar da ira de Set, o assassino de seu marido. De uma feita, Ísis curou Hórus de uma picada de escorpião. Sob a proteção da deusa, Hórus cresceu forte e enfrentou Set, tornando-se faraó do Egito.

Por realizações como a ressurreição de Osíris e a concepção de Hórus, Ísis é a Senhora da Magia. De fato, a mágica – a qual também evolve o poder de cura – é um elemento central em toda a mitologia de Ísis, possivelmente mais do que para qualquer outra divindade egípcia. O domínio da magia era um dos fatores da popularidade do culto de Ísis. Por causa de suas habilidades mágicas, depois de o Egito ter sido ocupado pelos gregos e pelos romanos, Ísis tornou-se a mais importante e poderosa divindade do panteão egípcio. No antigo céu do Norte

***Relevo de Ísis em seu trono, no templo de Osíris, em Abidos, Egito.***

***Ícones do Egito, entre os quais as pirâmides de Gizé, o Olho de Hórus, a cruz ansata e o escaravelho, além dos deuses Anúbis (à esquerda) e Hator (à direita).***

da África, a estrela Spica ("Alpha Virginis") surgia acima do horizonte na época da colheita do trigo e, por isso, foi associada a divindades da fertilidade, como Hator. Ísis viria a ser vista como essa estrela, devido à posterior fusão de seus atributos com os de Hator. Da mesma forma, Ísis também assimilou atributos de Sopdet, personificação da estrela Sirius, que surge no horizonte um pouco antes da cheia do Nilo. Outro símbolo de Ísis é a rosa. O fato de essa deusa ter sido tão popular tornou a produção de rosas uma importante atividade em todo o Egito.

Entre as muitas representações dessa deusa, Ísis era retratada como uma mulher com um vestido longo e coroada com o hieróglifo que significava "trono". Também era retratada trazendo um lótus ou sob um sicômoro. Quando assimilou os atributos de Hator, Ísis passou a ser retratada coroada com as insígnias de Hator: os chifres de uma vaca, com o disco solar entre eles. Às vezes, também foi representada como uma vaca, ou uma cabeça de vaca. Era, porém, quase sempre representada com o seu filho pequeno, Hórus (o faraó), usando uma coroa ou tiara de abutre – um dos animais com os quais era relacionada.

### Khepri

Khepri, ou Kheper, é uma das principais divindades egípcias. Associado ao escaravelho, que, ao rolar bolas de estrume, é comparado às forças que fazem mover o Sol, Khepri gradualmente veio a ser considerado como uma encarnação do próprio Sol, assumindo um dos aspectos dessa estrela. De acordo com os mitos, ele era responsável por "rolar" o Sol – o carro de Rá – para fora do Tuat, no final da jornada noturna do deus, provocando seu renascimento diário. Por isso, Khepri foi identificado como uma faceta de Rá, seu aspecto como o Sol que rompe a madrugada. Assim, Rá incorporava o disco solar, Khepri o Sol nascente e Atum o Sol poente.

Devido à característica do escaravelho de depositar ovos nos corpos mortos de animais, inclusive nos de outros escaravelhos, os antigos egípcios relacionavam Khepri à morte e ao renascimento.

*O deus escaravelho Khepri.*

***O deus Khnum no templo de Hórus, Edfu, Egito.***

**Khnum**

Khnum, o deus com cabeça de carneiro, originário do sul do Egito e da Núbia, remonta à época pré-dinástica. Khnum é um deus criador que representava os aspectos que geravam a vida e que contribuía com outros deuses para regular as enchentes do Nilo. Também estava ligado à criação dos seres humanos, fabricando seu corpo e seu *Ka* em torno de si, com lama do Nilo. Khnum formava diferentes enéades em diferentes cidades. Em Elefantina, Khnum formava uma tríade com as deusas Satis e Anuket. Em Esna, a enéade incluía, além dele, Satis e Neit.

Uma antiga lenda, gravada numa estela da época ptolomaica, a "estela da fome", conta a origem do seu culto. Segundo o relato, no reinado do faraó Djoser, Khnum impediu as águas do Nilo de fluírem, causando uma fome de sete anos. Buscando reverter a situação, Djoser fez oferendas a Khnum. Então, a divindade surgiu num sonho do faraó e pediu que continuasse a honrá-lo convenientemente.

***Khnum também representava um dos aspectos Rá, o pôr do sol. De acordo com essa tradição, era nessa forma que o deus do Sol iniciava sua jornada através do Tuat.***

*Relevo com o deus da lua Khonsu, Hator, sua mãe, e Sobek, seu pai, no templo de Kom Ombo.*

## Khonsu

Khonsu era um deus associado à Lua. Seu nome significa "viajante", uma referência às viagens noturnas da Lua no céu. Com Tot, ele incorporava a passagem do tempo. Seu animal sagrado era o babuíno, considerado um animal lunar pelos antigos egípcios. Normalmente, é representado como uma múmia com o símbolo da infância, um cacho de cabelo. Por vezes, é retratado com cabeça de falcão, como Hórus, com quem Khonsu está associado como protetor e agente de cura.

## Maat

Maat, filha (ou, por vezes, mãe ou esposa) de Rá e esposa de Tot, "a luz que traz Rá ao mundo", é a deusa da verdade, da justiça, da retidão e da ordem dos antigos egípcios. Maat é responsável pela manutenção da ordem cósmica e social. O equilíbrio do Universo, o relacionamento entre suas partes constituintes, o ciclo das estações, os movimentos celestes e

*Maat, a deusa da ordem cósmica, no templo de Osíris, em Abidos.*

*Ísis e Maat alada, com Hórus e a rainha Nefertari.*

as observações religiosas, bem como as negociações justas, a honestidade e confiança nas interações sociais são aspectos regidos por essa deusa. Os princípios de Maat eram parte integral da sociedade egípcia e garantiam de ordem pública. Os fundamentos de manutenção da ordem, seguidos pelos egípcios em obediência a Maat, tornaram-se a base da lei do Antigo Egito. Se a harmonia cósmica fosse perturbada, isso refletiria na vida do indivíduo e, muitas vezes, no destino do Estado. Por conta disso, um mau rei poderia trazer fome ao povo. Assim, desde os primórdios da civilização egípcia, o rei é descrito como "Senhor de Maat", que decretava, com sua boca, a Maat, que concebia em seu coração a vontade do faraó. Cabia ao faraó aplicar e fazer cumprir a lei, para permitir a manutenção do equilíbrio cósmico. Alguns faraós chegavam a ostentar o título de *Maat-Meri, ou "amado de Maat",* enfatizando o seu papel na defesa das leis da harmonia universal.

Como Senhora da justiça, era Maat quem validava o julgamento das almas. Representada como uma jovem mulher, traz na cabeça uma pluma de avestruz (a pena de Maat) a qual ela colocava na balança para pesar o coração do morto no julgamento de Osíris.

Por ser um deus civilizatório, instaurador de leis e de conhecimento, Tot, patrono dos escribas, é marido de Maat. Num antigo texto, Tot é descrito como "aquele que revela Maat e reconhece Maat, que ama e dá Maat para o criador". Todos deveriam viver de acordo com os preceitos de verdade e justiça de Maat.

Maat era irmã de Isfet, a deusa do caos, seu oposto. Juntas, equilibravam os aspectos positivo e negativo do Universo.

**Confissões Negativas para Maat**

As Confissões Negativas para Maat, encontradas no Papiro de Ani, a versão mais conhecida do Livro dos Mortos, eram recitadas em reuniões religiosas e grafadas em sarcófagos e monumentos fúnebres, e acabaram constituindo uma espécie de "mandamentos de retidão", como o decálogo o é para judeus, cristãos e muçulmanos.

*Eu não pequei.*
*Eu não roubei com violência.*
*Eu não furtei.*
*Eu não assassinei homem ou mulher.*
*Eu não furtei grãos.*
*Eu não me apropriei de oferendas.*
*Eu não furtei propriedades do deus.*
*Eu não proferi mentiras.*
*Eu não desviei comida.*
*Eu não proferi palavras obscenas.*
*Eu não cometi adultério, eu não me deitei com homens.*
*Eu não levei alguém ao choro.*
*Eu não senti o inútil remorso.*
*Eu não ataquei homem algum.*
*Eu não sou homem de falsidades.*
*Eu não furtei de terras cultivadas.*
*Eu não fui bisbilhoteiro.*
*Eu não caluniei.*
*Eu não senti raiva sem justa causa.*
*Eu não desmoralizei a mulher de homem algum.*
*Eu não desmoralizei verbalmente a mulher de homem algum.*
*Eu não me profanei.*
*Eu não dominei alguém pelo terror.*
*Eu não transgredi a lei.*
*Eu não fui irado.*
*Eu não fechei meus ouvidos às palavras verdadeiras.*
*Eu não blasfemei.*

*Eu não sou homem de violência.*
*Eu não sou um agitador de conflitos.*
*Eu não agi ou julguei com pressa injustificada.*
*Eu não pressionei em debates.*
*Eu não multipliquei minhas palavras em discursos.*
*Eu não levei alguém ao erro. Eu não fiz o mal.*
*Eu não fiz feitiçarias ou blasfemei contra o rei.*
*Eu nunca interrompi a corrente de água.*
*Eu nunca levantei minha voz, falei com arrogância ou raiva.*
*Eu nunca amaldiçoei ou blasfemei a Deus.*
*Eu não agi com raiva maldosa.*
*Eu não furtei o pão dos deuses.*
*Eu não desviei os bolos Khufu dos espíritos dos mortos.*
*Eu não arranquei o pão de crianças nem tratei com desprezo o deus da minha cidade.*
*Eu não matei o gado pertencente a deus.*

**Mafdet**

Como Maat, Mafdet era uma antiga deusa associada à justiça e ao poder real. Em cenas do Novo Império ela é vista como o carrasco das criaturas malignas. Mafdet arrancava o coração dos malfeitores, colocando-os aos pés do faraó, da mesma forma que os gatos fazem quando deixam aos pés do dono os roedores ou pássaros que caçaram. Assim, Mafdet relaciona-se ao aspecto punitivo da justiça. Contudo, além deste lado feroz, Mafdet tinha igualmente uma faceta protetora. Ela afastava os animais peçonhentos, vistos como transgressores da lei de Maat. Nesse seu aspecto, era chamada de "Senhora da Casa da Vida", em referência ao local onde se curavam os doentes no Antigo Egito.

Mafdet é representada como um felino, uma mulher com cabeça de felino ou um felino com cabeça de mulher. Em algumas imagens, tem os cabelos trançados de forma que as pontas terminam em caudas de escorpião.

*Mafdet é representada como um felino no templo de Hórus, em Edfu.*

Mais tarde, seu culto e seus atributos foram incorporados pelas deusas Bastet e Sekhmet.

**Mnévis**

Como Ápis, Mnévis era um dos bois sagrados do Antigo Egito, um animal negro adorado como divindade na cidade de Heliópolis. Associado ao deus Atum-Rá, seu culto foi instituído na II dinastia, embora, provavelmente, tenha sido adorado desde tempos pré-dinásticos. Foi cultuado por todos os faraós, até mesmo por Akhenaton, que tinha proibido o culto a qualquer deus, exceto Aton. Como Aton se manifestava em Mnévis, o faraó permitiu que esse deus continuasse a ser cultuado.

*Barco solar com serpente, símbolo da deusa Meretseguer.*

Nos templos a Mnévis, seus sacerdotes mantinham um boi sagrado, cujos movimentos eram interpretados como um oráculo. Depois da sua morte, o touro era mumificado, seus órgãos, colocados em vasos canopos e o animal sagrado era sepultado numa necrópole destinada a esse fim, perto de Heliópolis.

Meretseguer era a deusa serpente. Durante o Novo Império, essa deusa tornou-se guardiã dos túmulos, acreditando-se que ela atacava aqueles que tentavam pilhá-los. Vivia numa montanha em forma de pirâmide, próxima da aldeia onde habitavam os construtores dos túmulos reais durante o Novo Império. Ela atacava os trabalhadores que cometiam crimes ou mentiam, castigando-os com a cegueira ou com picadas venenosas, ao mesmo tempo em que curava os que se arrependiam. Quando os faraós pararam de construir seus túmulos reais no Vale dos Reis, na 21ª dinastia, o seu culto, que nunca ultrapassou o âmbito local, entrou em decadência.

**Meskhenet**

Meskhenet era a deusa do parto. Entre seus atributos, moldava o *Ka* de todos os que iriam nascer, assegurava o nascimento e decidia o destino de cada ser que nascia. Essa deusa também estava presente no julgamento das almas, quando o coração era pesado contra a pluma de Maat. Se a alma fosse pura, Meskhenet assistia o ingresso da pessoa na vida além-tumba. Por ser esposa de Herichef, deus da fertilidade, também incorporava o atributo do marido.

**Montu**

Montu é o deus da guerra do panteão egípcio, normalmente representado como um homem com uma cabeça de falcão, ornada com duas plumas e um disco solar. Nos primeiros tempos da civilização egípcia, era representado com cabeça de boi. Montu era um deus solar, associado a Ré (Montu-Ré), que representava o aspecto destrutivo do calor do sol. A partir da 11ª dinastia, Montu assumiu os atributos de deus da guerra. Quatro faraós dessa dinastia – estabelecida em Tebas, o maior centro do culto desse deus – chamaram-se Mentuhotep, isto é, "Montu está satisfeito", em homenagem a essa divindade. Os gregos, que dominaram o Egito a partir do século IV a. C. associaram Montu a Ares, seu deus da guerra.

### Mut

Mut era a segunda esposa de Amon e mãe adotiva de Khonsu. Na 18ª dinastia, quando o culto de Amon se tornou popular, Mut substituiu a primeira mulher dessa divindade, a deusa Amonet. Era representada como uma mulher usando um vestido vermelho ou azul, envergando a serpente Uraeus e a dupla coroa do Alto e Baixo Egito. Por vezes, era também representada com uma cabeça de leoa.

### Nefertum

Nefertum, ou Nefertem era uma divindade solar, deus do Sol e dos perfumes, cujo símbolo era a flor de lótus. Com seus pais, Ptah e Sekhmet, forma uma importante tríade. Com o tempo, Nefertum foi incorporado por Hórus, formando uma entidade única. Era também visto como a manifestação do deus Atum criança, que saiu da flor de lótus surgida no monte primordial que emergiu das águas. É representado, por vezes, com uma cabeça de leão ou como um jovem com uma coroa em forma de lótus, ornada por duas plumas, sentado sobre uma flor que desabrocha. Às vezes, aparece sobre um leão, portando um sabre.

***Deusas leoas no templo de Amon, em Karnak.***

*Néftis embalsamando o corpo de Tutancâmon.*

**Néftis**

Tida como a senhora das sombras, é irmã de Ísis. Seu nome egípcio, "Nebt-ha", significa "Senhora da Casa", em referência à casa para onde o Sol retorna no fim do dia, isto é, os céus noturnos. Na iconografia, é muito difícil distinguir Néftis de Ísis, pois ambas são representadas com as mesmas características, coroadas com a cabeça de abutre, sobre a qual também aparece o disco solar entre os chifres do sol. Por isso, ambas são divindades que distribuem vida plena e felicidade. Néftis é esposa de Set, mas teve um filho com Osíris – o deus Anúbis. Contudo, há diferentes versões sobre as relações entre esses deuses. Por vezes, Néftis é citada como esposa de Osíris, enquanto Ísis é tida como esposa de Set. Apesar de ser a consorte de Set, não é má como o marido. Junto a Ísis, ela lamentou o assassinato de Osíris e zelou pelo corpo do deus morto. Por conta disso, era vista como a guardiã dos mortos. Ela preside os momentos finais da vida, mas para levar o morto com bondade.

**Nekhbet**

Divindade originária da cidade de Nekheb, no Alto Egito, hoje El-Kab – seu nome significa justamente "Aquela de Nekheb" –, protegia os nascimentos, em especial os dos reis. Alguns faraós traziam uma imagem sua na coroa, pois acreditavam que o amuleto tinha o poder de repelir os inimigos do soberano. Na iconografia, era representada como um abutre, uma mulher com cabeça de abutre ou uma mulher com a coroa branca do Alto Egito (Hedjet).

***A deusa abutre Nekhbet, protetora do faraó, no templo de Medinet Habu.***

## Neith

Neith, ou Nit, é a deusa da guerra e da caça, criadora de deuses e homens, divindade funerária e das invenções. Seu culto já existia no período pré-dinástico, no qual era celebrada como escaravelho, depois foi deusa da guerra, da caça e deusa inventora. Firmicus Maternus escreve em seu livro *The Error of the Pagan Religions,* que Platão afirmou que na cidade de Saís, a deusa grega Atena fundia-se a Neith, pelos atributos da guerra e da tecelagem, e tinham um mesmo animal simbólico: a coruja. Neith também é protetora dos mortos, pois foi quem inventou o tecido, usado tanto pelos vivos, como no sudário dos mortos.

## Nut

Nut, o céu, era uma das mais importantes divindades egípcias. Filha de Shu, o ar seco, e de Tefnut, a umidade e as nuvens, é mãe de Osíris, Set, Ísis e Néftis,

***Sacerdotiza da deusa Neith, deusa da guerra e da caça, no templo de Dendera.***

dando-os à luz em um único parto. Com o seu corpo alongado, coberto por estrelas, abraça Geb, o deus da Terra. Dessa maneira, forma o arco da abóbada celeste que se estende sobre a Terra. Na iconografia egípcia, era muitas vezes representada como uma vaca, ou, então, por uma mulher trazendo o disco solar sobre a cabeça.

### Osíris

Osíris, ou Ausar, em egípcio, era uma das principais divindades do Antigo Egito. Filho de Geb e de Nut – a terra e o céu –, deus da vegetação e da vida no Além, o culto a Osíris remonta aos primórdios da civilização. Marido de Ísis e pai de Hórus, era o juiz das almas, na "Sala das Duas Verdades", onde o coração do morto era pesado.

Nos primeiros tempos, Osíris representava as forças da terra e das plantas. E como todo deus da vegetação, ele era associado à morte e ao renascimento. Os primeiros agricultores criaram seus mitos a partir da observação do ciclo das plantas. Como o morto, a semente retirada da planta que foi ceifada é enterrada para nascer novamente. A ideia da vida eterna se desenvolveu a partir de então. Assim, Osíris era a

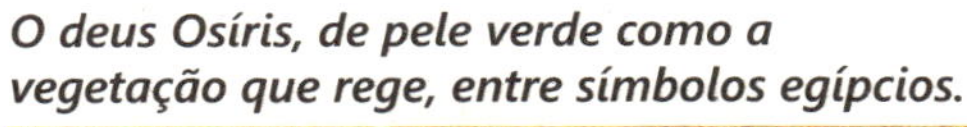
***O deus Osíris, de pele verde como a vegetação que rege, entre símbolos egípcios.***

divindade que encarnava a terra egípcia e a sua vegetação, destruída pelo sol e a seca, mas sempre ressurgida pela ação das águas do Nilo. Era um deus bondoso que sofre uma morte cruel e que assegura a vida e a felicidade eterna a todos os homens e mulheres. Osíris também era uma divindade civilizatória, ensinando aos seres humanos os conhecimentos necessários à civilização, como a agricultura e a domesticação de animais. Por causa dessas características, seu culto se difundiu por todo o Egito, e Osíris absorveu os atributos das divindades que incorporava, modificando-se, assim, através do tempo.

Normalmente, era representado como um homem mumificado, envergando uma coroa branca com duas plumas de avestruz e com a barba postiça usada pelo faraó. Seus braços emergem das faixas da múmia e se cruzam no peito; nas mãos, traz o cajado *hekat* e o açoite *nekhakha*. Em outra representação comum, Osíris aparecia como uma múmia deitada de cujo corpo emergiam espigas. A pele do deus era verde ou negra, cores que os egípcios associavam à fertilidade e ao renascimento. Raramente Osíris era retratado como animal. Quando isso acontecia, o deus aparecia como um touro negro, um crocodilo ou um grande peixe.

***O faraó Seti fazendo uma oferenda a Osíris, no templo desse deus, em Abidos.***

Os principais centros de culto a Osíris eram Abidos e Busíris. Em Abidos, todos os anos, realizava-se uma procissão na qual a barca do deus era levada pelos fiéis, em celebração à vitória do deus sobre os seus inimigos. Como Osíris havia sido retalhado por Set, os locais onde o culto dessa divindade era relevante afirmavam possuir partes do corpo do deus. Osíris foi também adorado fora do Egito, em várias cidades do Mediterrâneo, mas nunca nas dimensões que alcançou o culto da sua irmã e esposa, Ísis.

Durante o mês egípcio de *Khoaik* (outubro-novembro), celebrava-se os "Mistérios de Osíris", quando episódios do mito eram ritualizados. Para os Egípcios, foi nesse mês que Ísis reencontrou as partes do corpo de Osíris.

### Ptah

Ptah (a pronúncia provável é "Pitaḥ") é o deus dos artesãos e arquitetos, equivalente ao deus grego Hefesto. Era membro da tríade de Mênfis, com sua esposa Sekhmet e seu filho Nefertum. Também era tido como o pai do vizir Imhotep, que projetou a pirâmide em degraus de Saqqara. O deus construtor Ptah está associado às obras em pedra. Mais tarde, foi combinado com Seker e Osíris, criando a entidade Ptah-Seker-Osiris. Marido de Sekhmet e, por vezes, de Bastet, é pai de Nefertem, Mihos, Imhotep e Maahes. Nas artes, é representado como um homem mumificado com as mãos segurando um cetro enfeitado com símbolos da vida, força e estabilidade.

***Ramsés II com o deus Ptah, templo de Medinet Habu, próximo a Luxor.***

***Estátua do deus solar Rá.***

## Rá

Rá, ou Ré, o deus-sol, é outra importante divindade da antiga religião egípcia. Identificado com o sol do meio-dia, durante a quinta dinastia, Rá tornou-se uma das divindades mais cultuadas do Egito. De acordo com algumas tradições, todas as formas de vida teriam sido criadas por Rá, que as trouxe à vida pronunciando seus nomes secretos. De acordo com outras versões, os seres humanos teriam sido criados a partir das lágrimas e do suor de Rá.

Em uma das histórias sobre Rá, a humanidade trama contra o deus. Para punir os filhos rebeldes, Rá enviou seu olho, encarnado na deusa Sekhmet. Mas Sekhmet foi muito violenta na sua vingança e acabou tornando-se sedenta por sangue humano. Rá só conseguiu detê-la embebedando-a.

O principal centro de culto a Rá era Heliópolis, como os gregos chamavam a Inun, ou "Local dos Pilares", dos egípcios. Rá era associado ao deus solar dessa cidade, Atum, tornando-se Atum-Rá. Com o tempo e em alguns lugares, Rá também se fundiu a Hórus, formando Re-Horakhty, ou "Rá, que é o Hórus dos Dois Horizontes", entidade soberana de todas as partes do mundo criado – o céu, a terra e o mundo inferior.

Como Hórus, Rá também é associado com o falcão ou o gavião e encarna, igualmente, no touro Mnévis. O culto ao touro sagrado de Rá também teve seu centro em Heliópolis.

## Satet

Satet era a deusa das plantações, e da harmonia que possibilita a vida no meio ambiente. Assim, Satet representava a necessidade da afinidade com o ambiente para a realização da criação. Como outros deuses, ela também era responsável pelas inundações do Nilo.

## Sekhmet

Sekhmet, ou Sakhet, "a poderosa", é a deusa leoa que traz a vingança e as doenças, a punição de Rá. É a protetora de Rá e do faraó. Associa-se à deusa Hator, sendo, de fato, o seu aspecto vingativo. De acordo com essa tradição, Hator abraçou Rá, absorvendo sua força, e, com a forma de uma leoa, desceu à terra para destruir a humanidade que tramava contra o deus. Paradoxalmente, também é patrona dos médicos, pois traz a cura para os males que ela própria disseminou.

Esposa de Ptah e mãe de Nefertem, o centro de seu culto era na cidade de Mênfis. Era representada na iconografia como uma mulher coberta por um véu e cabeça de leão.

*A poderosa deusa da vingança Sekhmet.*

## Serket

Serket, filha de Rá, a deusa escorpião da mitologia egípcia, era quem trazia a cura para as picadas de escorpião. Sua representação mais comum é a de uma mulher trazendo na cabeça um escorpião de cauda erguida, pronto para picar. Em algumas representações mais raras, Serket aparece como um escorpião com cabeça de mulher, ou como serpente.

É uma deusa cultuada desde os primórdios da civilização egípcia. Acredita-se que o Rei Escorpião teria venerado essa deusa. Nos primeiros tempos, não possuía as características benéficas que viria a adquirir mais tarde. Era a mãe, ou, por vezes, esposa do deus serpente Nehebkau, protetor da realeza e que vivia no mundo dos defuntos. Devido a essa associação, Serket era vista como guardiã de uma das quatro portas do mundo subterrâneo, prendendo os mortos com correntes. Quando Nehebkau tornou-se uma divindade benéfica, Serket seguiu o mesmo caminho.

Como Ísis, Néftis e Neit, Serket guardava os órgãos dos mortos armazenados nos vasos canópicos. Serket protegia Kebehsenuef, um dos

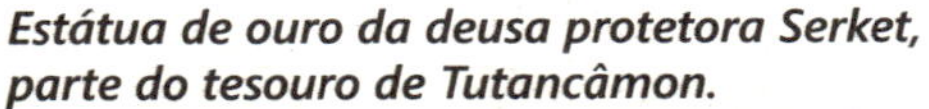

***Estátua de ouro da deusa protetora Serket, parte do tesouro de Tutancâmon.***

*Ruínas da Ágora e do templo de Serápis, em Éfeso, Turquia.*

quatro filhos de Hórus que se relacionava com os intestinos. Em seu aspecto de deusa fúnebre, era a "Senhora da Bela Mansão", sendo esta mansão a casa onde se realizava o processo de mumificação.

**Serápis**

Serápis foi uma divindade que surgiu a partir do sincretismo entre deuses egípcios e helênicos. Por esse motivo, seu principal templo localizava-se em Alexandria, cidade fundada por Alexandre, o Grande, quando ele conquistou o Egito. Sob o faraó helênico Ptolomeu Sóter (366 - 283 a. C.), general de Alexandre e fundador da dinastia Ptolomaica, diversos esforços foram feitos para integrar a religião egípcia com a de seus soberanos helênicos. Uma estátua antropomórfica foi criada e proclamada oficialmente como equivalente ao deus egípcio Ápis, extremamente popular. Chamado inicialmente de Aser-hapi (ou seja, Osíris-Ápis), tornou-se Serápis. Assim, do lado egípcio, o deus incorporava aspectos de Osíris e, do lado grego, relacionava-se a Dionísio. Serápis é representado como homem de idade madura e semblante grave, usando barba e longos cabelos. O seu atributo é a corbelha sagrada, símbolo da abundância, e a serpente de Asclépio, uma vez que ele era, igualmente, um deus que trazia a cura.

### Sechat

Sechat, ou Seshat, era a deusa das ciências, patrona da escrita, astronomia, arquitetura, matemática e dos profissionais dessas áreas. O seu nome significa "a que escreve" e era também chamada de "Senhora dos Livros" e de "Senhora dos Construtores". Estava presente no panteão egípcio desde a época tinita. Já na segunda dinastia é celebrada na cerimônia da fundação dos templos e no ritual de "esticar a corda", quando a deusa, por meio de um sacerdote, presidia os cálculos necessários à construção de um novo templo. Como deusa da escrita e do conhecimento, estava associada a Tot, aparecendo em algumas tradições como esposa desse deus. Enquanto Tot representava o conhecimento oculto, esotérico, Sechat representava o conhecimento esotérico, cognoscível. Sua irmã era Mafdet, deusa da justiça.

Normalmente, Sechat era representada como uma mulher vestida com uma pele de leopardo, usada pelos sacerdotes nos ritos funerários, com a cabeça ornada com uma planta de papiro estilizada ou, então, uma estrela. Nas mãos, trazia um estilo de cana e uma paleta, dois instrumentos usados pelos escribas em seu trabalho.

### Set

Set era o espírito do mal, deus da violência e da desordem, da traição, do ciúme, da inveja, do deserto, da guerra, dos animais e das serpentes. Irmão de Osíris e de Ísis, era marido e irmão de Néftis. Set começou a causar o mal já ao nascer, quando rasgou o ventre de sua

*Representação do deus Set como hipopótamo, um dos animais relacionados a esse deus, no muro externo do templo de Hórus, em Edfu.*

mãe, Nut, para sair. Originalmente, porém, auxiliava Rá em sua eterna luta contra a serpente Apófis, encarnação do caos. Nesse sentido, Set era originalmente visto como um deus bom. Contudo, com o desenvolvimento do Império e a fixação de fatos históricos em mitos, Set passou a personificar o usurpador, aquele que tudo fazia para conseguir o controle dos deuses e ficar no lugar de seu irmão Osíris. Por isso, assassinou-o e retalhou seu corpo. Depois, assumiu o trono do Egito. Quando Hórus, filho de Osíris, reivindicou o trono, Ísis se transformou numa bela jovem para seduzir Set e assim conseguir sua confissão diante da enéade (a família de deuses) de que na verdade o seu filho Hórus era, de fato, o herdeiro, por direito, ao trono de Osíris. No final, Hórus, termina por matar Set.

Há histórias que registram a traição de sua esposa Néftis, que teve um filho com Osíris, o deus Anúbis.

Set era associado a vários animais, como o cão, crocodilo, porco, asno, escorpião e hipopótamo, uma criatura destrutiva e perigosa. Como os bois eram usados para debulhar cereais e amassar grãos, os quais, acreditavam os egípcios, continham o deus Osíris, vítima recorrente de Set, esse animal também era associado ao deus do caos. Uma representação comum de Set era uma entidade parte asno, parte porco.

**Shu**

Shu, ou Chu, é uma divindade primordial, deus do ar seco, da força masculina, do calor, da luz e da perfeição. Juntos, Shu e sua esposa Tefnut, deusa da umidade e das nuvens, geraram Geb e Nut – a terra e o céu. Shu é, também, quem traz a vida com a luz do dia. É, igualmente, o criador das estrelas, nas quais os seres humanos se transformam depois da morte. É representado como um homem usando uma grande pluma de avestruz na cabeça.

**Sobek**

Sobek, ou Sobeku, era o deus crocodilo dos antigos egípcios, ligado ao culto do rio Nilo, da divinização da água, aos seus poderes de fer-

*O deus crocodilo Sobek.*

tilidade e à proteção da gravidez. Por caçar e consumir carne, também era relacionado à morte. Em seu aspecto negativo, associava-se a Set. Sobek, em forma de crocodilo, foi quem devorou o coração de Osíris, ligando o deus réptil a uma ideia de terror e aniquilamento. Em contrapartida, tinha, igualmente, um aspecto solar. Como o Sol, que todos os dias se eleva no céu trazendo o dia, também o crocodilo sai da água. Assim, Sobek acabou sendo associado ao deus primordial Ré (Sobek-Ré) e a Osíris ressuscitado.

Era representado como um crocodilo ou, então, como um homem com cabeça de crocodilo, ostentando uma coroa ornada com duas grandes plumas, o disco solar e uma ou mais Uraeus – serpentes sagradas. Seus principais centros de culto eram em Fayum e Kom Ombo, numa região onde aqueles répteis eram muito abundantes na época do Egito faraônico. Nos templos dedicados a Sobek havia, muitas vezes, um tanque com crocodilos sagrados, que eram mumificados depois da morte.

**Sokar**

Sokar, Seker ou Sokaris, era um deus funerário, representado como um falcão ou como um homem mumificado com a cabeça desse pássaro ostentando a coroa branca do Alto Egito. A partir da quinta dinastia, foi identificado com Ptah, deus principal de Mênfis, originando uma nova entidade, Ptah-Sokar. Devido ao seu atributo de deus da morte, foi também associado a Osíris, transformando-se num dos aspectos desse deus. Os "Textos das Pirâmides", as inscrições feitas nas paredes das primeiras pirâmides, em Saqqara, relatam que Sokar era visto como Osíris, depois de este ter sido assassinado pelo seu irmão Set.

Por conta da sua identificação com Ptah, Sokar era patrono dos artesãos. Era esse deus quem elaborava os perfumes utilizados nas cerimônias dedicadas aos deuses. Contudo, Sokar tinha, igualmente, um aspecto sombrio. Era o guardião da porta de Tuat, o mundo subterrâneo, onde vivia em uma caverna chamada Imhet, de acordo com algumas tradições, alimentando-se do coração dos mortos.

Uma procissão anual acontecia em Mênfis, no dia 26 de *Khoiak* – mês que corresponde a outubro/novembro. O deus era levado nos ombros de dezesseis sacerdotes, na sua barca sagrada, Henu. A consorte de Sokar era Sokaret, que tinha os mesmos atributos funerários. Por vezes, a deusa Sekhmet surge como consorte de Sokar.

**Sopdet**

Sopdet é a personificação de Sothis, provavelmente a estrela Sirius. De fato, o nome dessa deusa faz referência ao brilho de Sirius – a mais brilhante da noite. É representada na iconografia como uma mulher com uma estrela de cinco pontas sobre a cabeça. Como a inundação do Nilo acontecia quando Sirius aparecia no céu, em julho, Sopdet foi identificada como uma deusa da fertilidade do solo. Sopdet é o consorte de Sah, a constelação de Orion, e o planeta Vênus era, por vezes, considerado seu filho. Com o tempo, Orion acabou identificada como um aspecto de Hórus. Por isso – e por ela ser uma divindade de fertilidade –, também foi identificada como uma manifestação de Ísis.

**Tatenen**

Tatenen era o deus do monte primordial que surgiu das águas do caos, no início do mundo criado. Era, portanto, uma divindade da criação. Tatenen representava a terra e era relacionado às mastabas e, posteriormente, às pirâmides, uma vez que esses monumentos funerários também eram vistos como o monte primordial ou uma escada que levava aos céus – o reino de Hórus. Seu pai era o deus Khnum, que o criou numa roda de oleiro com lama do Nilo. Segundo C. J. Bleeker, em seu livro *Religions of the Past,* era visto como "fonte dos alimentos, das oferendas divinas e de todas as coisas boas". Seu reino era composto pelas regiões profundas sob a terra, "de onde tudo surge" – plantas, águas e minerais. Era a personificação do Egito e, igualmente, um aspecto do deus da terra, Geb. Como muitos deuses egípcios, Tatenen assistia os mortos em sua jornada para o além-vida.

Originário de Mênfis, onde era cultuado desde períodos arcaicos, fundiu-se, no Antigo Império, com outro deus dessa cidade, Ptah, formando a divindade Ptah-Tatenen.

**Tuéris**

Tuéris, "A Grande", era a deusa da fertilidade e protetora das embarcações e das grávidas. Também foi uma deusa celeste, a "Misteriosa do Horizonte". Tuéris ajudou Hórus em sua luta contra Set. Era filha de Rá e a mão direita de Ísis e Osíris. Por conta de seu atributo de fertilidade, era representada na arte egípcia como uma figura antropozoomórfica grávida, de pele negra, cabeça de hipopótamo, com chifres e disco solar, patas de leão, cauda de crocodilo e seios muito grandes. Também aparecia na iconografia como uma porca.

**Tefnut**

Tefnut, ou Tefnet, é uma deusa da criação, relacionada à cosmogonia egípcia. Filha de Rá, irmã e esposa de Shu, mãe de Geb e Nut e avó

*A deusa leoa Tefnut em relevo no templo de Hórus, em Edfu.*

de Osíris, Ísis, Set e Néftis. Ela personificava a umidade e as nuvens e seus atributos são a generosidade e também as dádivas. Enquanto seu irmão Shu afasta a fome dos mortos, ela afasta a sede. Na iconografia, é representada como uma mulher, por vezes com cabeça de leoa, coroada com o disco solar e a serpente Uraeus.

### Tot

Tot, ou Thoth, um deus com cabeça de íbis, tem como atributos o conhecimento esotérico e a magia. Seu centro de culto era Hermópolis. Os invasores helênicos relacionaram Tot ao seu deus Hermes e, desse sincretismo nasceu uma entidade civilizatória, Hermes Trimegisto, o "Três Vezes Grande". Considerado em seu tempo "o mensageiro dos deuses", Hermes teria dado ao povo egípcio os preceitos da civilização, com suas ciências e sua cultura. Também teria sido Hermes quem implantou a oculta tradição sagrada, seus rituais e os próprios Mistérios de Ísis e Osíris. Os gregos afirmam que Hermes legou 42 livros sagrados, entre os quais o Livro dos Mortos do Antigo Egito. Ele também fundou escolas de sabedoria anexas aos santuários maiores,

*Tot, o deus do conhecimento esotérico e da escrita, num relevo no templo de Ramsés II, em Abidos.*

onde os sacerdotes ensinavam medicina, astronomia, astrologia, botânica, agricultura, geologia, ciências naturais, matemática, música, arquitetura, escultura, pintura e ciência política. Hermes seria, assim, um verdadeiro civilizador.

**Uadjit**

Uadjit é a deusa da vegetação, padroeira do Baixo Egito – a região do delta do Nilo. O nome significa "A verde", numa alusão à planta do papiro, criada por essa deusa e dada como dádiva à humanidade. Uadjit teve papel relevante no ciclo mitológico egípcio ao ser a ama de leite de Hórus, quando Ísis lhe confiou o filho, escondendo-o nos pântanos do Delta para fugir do assassino usurpador Set.

Era representada como mulher com cabeça de serpente, ostentando a coroa vermelha, símbolo do Baixo Egito. Quando o artista aludia ao seu aspecto de defensora da realeza, Uadjit era retratada como uma mulher com cabeça de leoa. Também era simbolizada por uma serpente alada ou uma cobra enrodilhada em um cesto de papiros.

**Uepuauet**

Uepuauet, ou Upuaut, era um deus tardio, uma divindade da guerra, cujo culto era centrado em Assiut, no Alto Egito. Uepuauet era o batedor, aquele que vai à frente do Exército abrindo e limpando caminho. Por isso mesmo, aparece na iconografia como um lobo na proa de um barco solar. Tornou-se um símbolo do faraó, sendo visto como protetor do rei. Nesse seu aspecto, um de seus atributos era acompanhar o soberano nas caçadas.

Como era um batedor, uma entidade da guerra, Uepuauet também tinha função fúnebre, guiando as almas dos mortos através de Tuat, o mundo do além-vida. Ele também assistia no ritual da abertura da boca, quando o sacerdote libertava, nesse ato ritual, a alma do defunto. Devido à semelhança com o chacal e seu aspecto de divindade da morte, foi associado a Anúbis e, em alguns locais de culto, era tido como filho desse deus. Em outros, era filho de Set.

Na iconografia, era representado como lobo – por vezes, chacal –, de pelo branco ou cinza, ou era retratado como homem com a cabeça desses animais, vestido e equipado como soldado, armado com uma maça e um arco.

***Uepuauet, o batedor dos deuses, protetor do faraó.***

## Principais Deuses Egípcios

| Nome Egípcio | Nome Grego | Divindade Grega | Símbolo | Atributos |
|---|---|---|---|---|
| Amen | Amon | Zeus | Carneiro | Deus criador |
| Kratos | Inpu | Hermes | Cão | Deus da Guerra |
| Amonet | | Atena | Sapo | Deusa do oculto e do poder que não se extingue |
| Ankt | | | Abelha, besouro | Deusa da guerra |
| Anit | | | Corpo de mulher | Deusa da guerra |
| Anuket | Anukis | | Gazela | Deusa do Nilo e da água |
| Hepu | *Ápis* | | Boi | Deus da fertilidade |
| Iten | Atón | | Sol | Deus solar criador |
| Itemu | Atum | | Fênix ou carneiro | Deus solar criador |

| Nome Egípcio | Nome Grego | Divindade Grega | Símbolo | Atributos |
|---|---|---|---|---|
| Bastet | Bastis | *Ártemis* | Gata | Deusa lunar protetora da casa |
| Keb | Geb | Cronos | Terra | Deus criador |
| Hep | Hapi | | Rio Nilo | Deus das inundações |
| Hut-Hor | Hator | Afrodite | Vaca | Deusa do amor e da felicidade |
| Hor | Horus | Ares | Falcão | Deus da Guerra |
| Imhotep | Imutes | Asclépio | Sabedoria | Deus da medicina e dos escribas |
| Ast | *Ís*is | Deméter | *Árvore* | Deusa da magia |
| Khepri | | | Escaravelho | Deus solar autocriado |
| Khnum | Cnoumis | | Carneiro | Deus da Criação |
| Khonsu | | | Falcão | Deus lunar, protetor dos enfermos |
| Maat | | | Harmonia cósmica | Verdade, justiça e harmonia |
| Meskhenet | | | Mulher ou vaca | Deusa protetora da maternidade e da infância |
| Menu | Min | Pan | Touro branco ou leão | Deus lunar, da fertilidade e da vegetação |
| Montu | Month | | Falcão | Deus solar e da guerra |
| Mut | | Hera | Abutre, vaca ou leoa | Deusa-mãe, origem do criador |
| Nebet-Het | Neftis | | Milhafre | Deusa dos rios |
| Nekhbet | | Ilítia | Abutre | Deusa protetora, dos nascimentos e das guerras |
| Net | Neith | Atena | Coruja, abelha, besouro, etc. | Deusa da guerra e da caça |
| Nut | Nut | Rea | A abóbada celeste | Deusa do céu, criadora do Universo |
| Asar | Osíris | | O Grande Juiz | Deus da ressurreição |
| Ptah | | Hefesto | | Deus criador e dos artesãos |
| Rá | | Zeus | Falcão | Deus Solar, demiurgo |
| Satet | Satis | Hera | Antílope | Deusa protetora do faraó |
| Sekhmet | Sacmis | | Leoa | Deusa da guerra |
| Serket Heru | Selkis | | Escorpião | Deusa protetora da magia |
| User-Hep | Serápis | Zeus | Touro | Deus oficial do Egito e da Grécia |
| Seshat | | | | Deusa da escrita e do calendário |
| Suti | Seth | Tifão | O deserto | Deus protetor/destruidor do mal |
| Chu | | Agatodemon | A atmosfera. Leão | Deus do ar e da luz |
| Sobek | Sucos | Hélios | Crocodilo | Deus do Nilo |
| Sokar | Sokaris | | Falcão | Deus das trevas e do Tuat |
| Sopdet | Sotis | | A estrela Sirius. Cão ou milhafre | A mãe e irmã do faraó |

| Nome Egípcio | Nome Grego | Divindade Grega | Símbolo | Atributos |
|---|---|---|---|---|
| Tatenen | | | A Colina primordial. Carneiro ou serpente | Deus criador e do que nasce embaixo da terra |
| Taurt | Tuéris | | Hipopótamo | Deusa da fertilidade e protetora das mulheres |
| Tefnut | Tefnet | | Leoa | Deusa guerreira e da humildade |
| Djehuty | Thoth | Hermes | *Íbis ou mandril* | Deus da sabedoria e da escrita |
| Uadjit | Uto | Leto | O calor ardente do Sol. Cobra ou leoa | Deusa protetora do faraó |
| Upuaut | Ofois | Ares | Cão negro ou chacal | Deus da guerra e do Tuat |

# Bibliografia


**E-REFERÊNCIAS**

BUDGE, E. A. Wallis. *Legends of the Gods: The Egyptian Texts, Edited with Translations. Disponível em: http://www.gutenberg.org/cache/epub/9411/pg9411-images.html. Acessado em 09.03.2016.*

HERÓDOTO. *An Account of Egypt. Tradução para o inglês de G.C. Macauley. Disponível em:* https://www.gutenberg.org/files/2131/2131-h/2131-h.htm. Acessado em 13.02.2015.

**REFERÊNCIAS BIBLIOGRÁFICAS**

BLAINEY, Geoffrey. *Uma Breve História do Mundo.* Curitiba: Fundamento, 2009.

BLEEKER, C.J. *Religions of the Past vol. I.* Boston: E.J. Brill, 1969.

CAMPBELL, Joseph. *O Herói de Mil Faces.* Tradução de Adail Ubirajara Sobral. São Paulo: Cultrix/Pensamento, 1995.

DURANT, Will. *Heróis da História – Uma Breve História da Civilização da Antiguidade ao Alvorecer da Era Moderna.* Tradução de Laura Alves e Aurélio Barroso Rebello. Rio de Janeiro: Ediouro, 2002.

ELIADE, Mircea. *O Conhecimento Sagrado de Todas as Eras. Tradução de Luiz L. Gomes.* São Paulo: Mercuryo, 1995.

FAURE, Élie. *History of Art: Ancient Art.* Nova York: Garden City, 1921.

HUXLEY, Aldous. *A Filosofia Perene.* Tradução de Octavio Mendes Cajado. São Paulo: Cultrix, 2006.

JAGUARIBE, Helio. *Um Estudo Crítico da História.* Tradução de Sérgio Bath. São Paulo: Paz e Terra, 2001.

*PLATÃO. Diálogos (O Banquete – Fédon – Sofista – Político).* Tradução de José Cavalcante de Souza, Jorge Paleikat e João Cruz Costa. São Paulo: Abril Cultural, 1972.

ROBERTS, J.M. *A Short History of the World.* Oxford: Oxford University Press, 1997.

SMITH, Huston. *As Religiões do Mundo. Tradução de Merle Scoss. São Paulo: Cultrix, 2002.*

Camelot
EDITORA

CamelotEditora